文春文庫

宝船まつり

御宿かわせみ25

平岩弓枝

文藝春秋

目次

宝船まつり

冬鳥《ふゆどり》の恋《こい》

一

大川端の「かわせみ」では、師走になってから、例年になく客が増えた。

「やはり、世の中が不穏で、不景気でございますから、どちらさまも、じかに掛取りにお出かけになるようで……」

老番頭の嘉助《かすけ》が、そっとささやいたように、例年なら年末になれば黙っていても、為替《かわせ》で半期の支払いが届けられるところが、今年は米相場が暴落したのがきっかけで、江戸の大店《おおだな》の中でも突然、店を閉めるもの、一家が夜逃げするものなどが続出し、この秋の瓦版はもっぱら、その内情を書き立てた。

となると、江戸の店へ品物を下している地方の問屋も落ちついてはいられなくなって、下手をすると年内に支払いがなかったり、或いはふみ倒されたりもしかねないと、慌てて催促かたがた江戸まで出て来るという場合が多くなったのかも知れなかった。

宿屋商売のほうは、嘉助と女中頭のお吉《きち》が万事、取りしきっているものの、女主人として、るいでなければならないことも決して少くはない。

殊に一人一人の客の事情や気持を推量して細やかな心遣いをするというのは、お吉の最も苦手とする点で、やはり、るいがあれこれと指図して、お吉も本領が発揮出来る。

そうしたわけで、るいが神林家へ歳暮の挨拶に出かけたのは、月のなかばであった。

その日は板前が河岸で特別に仕入れて来た鯛や鮑《あわび》などを大籠に盛りつけ、夕刻をみはからって板前がお供で神林家へ出かけた。

ちょうど、神林通之進《かみばやしみちのしん》が帰邸したところで、るいの挨拶を受け、

「これは見事なものを……」

と、弟嫁の厚意を謝した。

それらは、披露を終えると、板前が台所へ運んで手際よく庖丁をいれ、夕餉《ゆうげ》の膳に供せるよう下ごしらえをする。

その間、通之進は気さくにこの節の宿屋商売のことなどをあれこれと訊ね、るいも丁寧に答えていたのだったが、驚いたのは、一人の少年が用人と共に廊下をやって来て、障子を開け、

「父上、母上、只今、帰りました」

と挨拶したからである。

「麻太郎《あさたろう》、こちらは東吾《とうご》の叔父様の妻、るい叔母様じゃ。御挨拶をしなさい」

通之進がいい、少年は改めて、るいに向って小さな手をつき、

「神林麻太郎でございます」

と頭を下げた。

神林家が縁あって幼い少年を迎え、さきざき、家督を継がせることにしたとは、東吾から聞かされていたるいであったが、麻太郎と対面したのは、これが最初であった。

そして、すぐ思い出した。数年前、麻生家から招きを受けて、当主、麻生《あそう》源右衛門《げんえもん》の謡を聞くために、師に当る能楽師の屋敷へ出むいた時、やはり、麻生家から誘われて、七重《ななえ》の友人という若い奥方が幼い子を伴って来ていた。

小さいながら行儀がよく、しかし、利かぬ顔をしたその子を、るいは印象深く眺めたものだったが、たしか、七重が、

「こちらは柳河藩の御重役、大村様の奥方で琴江様、お子は麻太郎様とおっしゃいます」

とひき合せてくれた筈である。

奇しくも、その少年が神林家の養子になっていることに、るいは衝撃をおぼえたが、口には出さなかった。ただ、

「るいと申します。何分、よろしゅうお願い致します」

と挨拶をかわしただけであった。

みていると、少年はたずさえて来た風呂敷包を解き、論語の本を出して、通之進に、

「今日は、ここまで、教えて頂きました」

と報告し、通之進は、

「左様か、随分と先へ進んだのう。今夜は、晩餉のあとに、聞かせてもらうことにしようか」

と相好を崩していい、少年は嬉しそうに、

「はい」

と大きく返事をしている。

「さぞ、お腹がおすきでしょう。今日は叔母様が大層な御馳走をお持ち下さいましたのですよ。お召しかえをしましょうね」

香苗《かなえ》がいそいそと少年に声をかけ、それをきっかけにるいは暇を告げた。

「かわせみ」へ戻って来ると、出迎えたお吉がそのまま、居間へついて来て着替えを手伝いながら、いささか遠慮そうに、

「神林様では、おちいさい御方を養子分としてお迎えなされたと若先生がおっしゃいましたが、お会いになりましたか」

と訊く。

「麻太郎様でしょう。ちょうど、どちらかへ学問にお通いになっていて、お帰りになった所でお目にかかりましたよ」

と、るいが返事をすると、急に声をひそめて、

「あちらの旦那様にそっくりというのは本当ですか」

という。

一瞬、るいはあっけにとられ、それからお吉に問いただした。

「いったい、どういうことなのですか」

お吉は首をすくめたが、なにしろ、好奇心のかたまりのような性分だから、とても黙ってはいられない。

「お叱りは覚悟の上で申し上げますが……あの、どうか、若先生にはおっしゃらないで下さいまし。ただ、その、世間の噂なんでございますから……」

「世間が、なんといっているのです」

「そんな怖いお顔をなさると、申し上げられませんです」

「お吉ったら……」

つい、るいの頬がゆるんで、忠義者の女中頭は早速、膝を進めた。

「わたくしは、そんな世間の噂なんぞ、決して信じては居りませんのですけれども……つまり、神林様がお手許におひき取りになった若様は、あちらの旦那様が他におつくりになった……」

「そんな馬鹿な……」

お吉が慌てて手を突いた。

「ええ、ですから、嘉助さんも、あちらの旦那様に限って、断じて、そういうことはないと……」

「そんな噂を、嘉助も知っているのですか」

「番頭さんは、世の中にはつまらねえ勘ぐりをする奴がいるもんだと、笑って相手にしませんけど……」

「どこの誰が、そんなことを……」

「うちの奉公人は、湯屋で聞いて来たみたいです」

口をつぐんでしまったるいに、お吉はもぞもぞと、もう一つの噂話をいいつけた。

「あの、それと、これは出入りの職人なんかが八丁堀の方々がおっしゃってるっていうのを聞いて来ての話なんですけど、神林様があんなちいさいお子を御養子になさったのは、ゆくゆくは、こちらの千春《ちはる》嬢様と御夫婦にして神林家を継がせるお心づもりがあるからだと……」

「もう、いい加減にしなさい」

叱りつけて、お吉を追い出したものの、長火鉢の前にすわって、るいは考え込んだ。

最初の噂はともかく、二つ目の話は、妙に真実味があった。

神林通之進は、もう四十路に入っている。養子を迎えるならば二十代、せいぜい若くても十五、六ぐらいが常識だろうと思う。

麻太郎という少年は、東吾の話だと麻生家の花世《はなよ》と同い年の六歳だと聞いている。

もし、吟味方与力として家督を継ぐなら、少くともあと二十年の歳月が必要であった。するると、神林通之進は還暦を過ぎてしまう。

なるべく早くに、弟の東吾に家督をゆずりたいと考えていた通之進にしてみれば、東吾が講武所の教授方になり、続いて軍艦操練所の研修生に抜擢されたことは、大いなる計算違いだったろうが、それにしても、六歳の養子というのは、いささか幼すぎる。

その理由を、もしも、東吾とるいとの間に誕生した千春と祝言させて神林家を継がせるためとなると、たしかに、まだ赤ん坊の千春の夫には六歳の少年で、ちょうどいい。

また、そうなれば、千春はまぎれもなく神林家の血筋であるから、筋目も立つ。

隣の部屋で眠っていた千春が目をさまし、枕許においてある人形に、ああ、ああ、と機嫌のよい声で話しかけているのに気づくまで、るいは物思いから覚めなかった。

東吾が帰宅したのは、夜更けであった。

講武所の教授方との集まりがあったためで、出かける前にそう聞いていたので、るいは縫い物をしながら待っていた。

で、帰って来た東吾の着替えを手伝いながら、

「今日、八丁堀のお屋敷へ歳暮の御挨拶に行って参りました」

と報告したが、東吾は如何にも眠そうで、

「そうか。それはよかった」

と返事をしただけで、千春の寝顔をのぞき、

た。

「少し、飲みすぎた。水をたのむ」

といい、るいが湯呑に水を汲んで戻って来た時は、もう夜具の中で軽い鼾《いびき》をかいていた。

二

翌朝、なんとなく、東吾に麻太郎の噂を話しそびれている中《うち》に、深川の長寿庵の長助《ちょうすけ》が蕎麦粉を届けに来て、

「馬喰町の藤屋の御隠居が、新しく出来た柳島の別宅にお移んなすったのを御存じで……」

と告げた。

藤屋は江戸でも一、二を争う旅籠《はたご》屋で、そこの主人が、るいの父親がまだ定廻《じょうまわ》り同心だった時分から懇意にして居り、るいが「かわせみ」という宿屋をやって行く際も随分、親身になって面倒をみてくれた。その後も、客を廻してくれたり、上客を紹介してくれたりで、るいにしても親類以上のつきあいをして来た。

その主人が二年前に歿《なくな》って、悴の藤兵衛が跡を継ぎ、こちらも、

「おるい様のお役に立つなら、どのようなことでもお申しつけ下さい。親父同様のおつき合いを何卒、よろしゅうお願い申します」

といってくれている。

その藤屋の先代の未亡人が、馬喰町の住居を出て隠居所に移るという話は、るいも聞いてはいた。

「なんと申しましても、馬喰町界隈は以前から家が建て込んでいる上に、駕籠だの、馬だの、大八だの、一日中、通行が絶えませんので、まあ、年寄がゆったりと暮せる場所ではございません。それからくらべると、今度の隠居所は梅屋敷の近くで、そりゃあ閑静なものでして……」

といって、近所には有名な社寺が多く、境町という町屋も傍に出来て、寂しくも、不便でもないと長助はいった。

「藤屋さんは孝行息子だ。流石《さすが》にいい場所に隠居所を建てなすったものでございます」

と聞いて、るいは早速、新築祝いに出かけることにした。長助が、

「そういうことなら、あっしが御案内申します」

というので、るいはたまたま、神林家から、

「これは、長崎名物のかすていらと申しますもので、近頃、江戸でも流行《はや》り出して居りますとか。到来物ですけれど、おるい様に……」

と香苗が届けさせてくれたばかりのを手土産に、少々の祝金を包んで、長助と共に「かわせみ」を出た。

まだ午《ひる》を廻ったばかりの時刻で、十二月にしては暖かな日だったが、長助は心得ていて豊海《とよみ》橋の袂から用意した屋根舟は炬燵《こたつ》の用意もあり、るいは久しぶりにのんびりした

気持で大川を横ぎり、仙台堀から横十間川へ入って行った。

長助は例によって、るいがいくら声をかけても障子の中へ入って来なかったが、時折、船頭と話し合っているのを聞いていると、今年の江戸の冬はいつまでも寒くならず、一向に年の暮らしくないのを、船頭は稼業柄、助かるといい、長助は大地震でも来やあしないかと心配している。

やがて、舟が着いたのは横十間川が北十間川にぶつかる柳島橋の袂で、そこから川沿いに行くと柳島村へ出る。

藤屋の隠居所は、光明寺の裏側にあった。

西隣は梅屋敷で、南東に広く庭をとり、建物はさして大きくはないが、しっかりした造りに金をかけている。

るいが訪れた時、隠居のおせんは庭で若い女と落葉を燃していたが、

「これは、おるい様、このような所まで、わざわざ……」

手を取らんばかりの喜びようであった。

その声を聞きつけたように、家の中から若い男が出て来た。

「おるい様には、まだ、お引き合せ申したことがございませんでしたか。私の実家の弟の末子で宇之助と申します。実は悴の藤兵衛夫婦には子供がございませんので、この程、宇之助と養子縁組を致し、この秋のはじめから馬喰町のほうに住んで居ります」

おせんの言葉に続いて、若い男は丁寧に挨拶をした。

年齢は二十五だというが、どこかに幼さを残しているような、初々しい印象である。

おせんの実家は高輪の観月楼という料理屋で、弟の市右衛門というのが跡取りだったが、三年前に病死し、今は長男の市太郎が当主となっているのは、るいも承知していた。

「そういえば、こちらのおすみさんも、たしか、御実家のほうから……」

いつの間にか台所へ行って茶の支度をして来た若い女をみて、るいがいい、おせんが苦笑した。

「そうなんでございます。どういうわけか、弟の家から二人も、うちのほうへ来てしまって……」

と、おせんがいうように、おすみのほうは歿った市右衛門が、男の子ばかりでは寂しいと、知り合いから養女に迎えたのだったが、どうしても、市右衛門の女房のおやすとうまく行かず、弟に頼まれて、おせんが養女分として藤屋へひき取ったといういきさつがある。

そのおやすも、昨年、夫の後を追った。

「おるい様には、なんでも申し上げてしまいますけれども、どういうわけか、おやすはこの娘につらく当って、生きている間はおすみの縁談に、けちをつけてばかりいて、まとまるものもまとまりませんでした。おすみもおやすに遠慮するのか、かまわないから嫁に行けといっても、どうしても承知せず、とうとう二十になってしまって、あたしは本当に気に病んでいたのですが、漸く、良縁が決ってほっとしています」

とおせんがいい、るいが訊いた。

「それはようございました。お相手はどなたですか」

「同じ町内で同業の吉野屋さんの若主人でございます。以前からおすみを気に入ってくれまして、是非、嫁にと人を介していって来たのですけれども、おやすが同業はよくないと反対致しましてね。同業とは申しましても、あちらは公事宿《くじやど》、うちとは客筋が違います。それに、若主人の友吉さんというのは町内でも評判の人柄のいいお人で、殁ったうちの人も、あそこなら嫁にやってもいいと申しましたのですが、おすみがおやすに気を使って、なんとなく話が立ち消えになりましたんです。それが、先方にこちらの事情がわかったものですから、改めて直接、御当人がなんとしても嫁に欲しいと……。まあ、おすみの他には女房にしたい女はいないと、大変な惚れ込みようで、おすみにしても、もう断る理由はございませんのですから……」

話がまとまって、先月末に結納も入ったという。

「祝言は、おすみが、宇之助のほうが終ってからと申しますので、二月のはじめにでも……」

「おや、宇之助さんのほうもお相手が……」

「はい。殁りました主人の遠縁で、川越の本陣の娘でございます。田舎者ですが、器量も気立てもよく、先月、藤兵衛夫婦が宇之助を連れて川越まで行って参りました。正月をむこうですませ、江戸へ出て来る約束だそうで、おすみといい、宇之助といい、二人共、幸せになってくれることが、私の願いでございます」

おせんの表情はこの上もなく晴れやかで、るいにしても、ほっとした気分であった。

暫くは長助も加って、世間話やら何やらで時を過し、やがて、るいは隠居所を辞した。

おすみは、おせんと共に戸口まで見送ったが、宇之助の姿はみえない。

「兄は、馬喰町のほうに用事があるので帰らせて頂きました。お話のお邪魔をしてはいけないので御挨拶なしで行くから、よろしく申し上げるようにと……」

おすみがいい、るいもうなずいて長助と舟へ戻ったのだったが、それから五日ばかり経って、長助が思案投げ首といった感じで「かわせみ」へやって来た。

ちょうど東吾も帰って来ていて、

「かまわないから、こっちへ入れよ。酒の相手が欲しかったところだ」

遠慮する長助に、無理矢理、盃を持たせた。

るいにお酌をしてもらって、立て続けに五、六杯、漸く、長助の口がほぐれた。

柳島で、宇之助とおすみが一緒にいる所をみたのだという。

「そいつが、龍眼寺の境内でございまして」

今日、畝源三郎《うねげんざぶろう》の供をして本所を廻っている時に、太子講の講中の人々に出会った。

「殖髪《うえかみ》聖徳太子堂てえのは、どこにあるかと訊かれまして、龍眼寺の太子堂のことだとわかったんですが……」

太子講というのは、聖徳太子を信仰する仲間で、全国にある聖徳太子にゆかりの社寺を巡礼して廻る。

「なんでも、龍眼寺にある太子堂の御本尊は聖徳太子ってえ御方が御自分で彫られた木像なんだそうで、太子とその奥方様の髪の毛が頭に植えてあるってことを、あそこの坊さんから聞いて居りましたんで、そいつを教えました所、畝の旦那が、遠くから来た者に龍眼寺といってもわかるまいから、案内してやるようにおっしゃいましたんで、一緒に龍眼寺へ参《めえ》りました」

講中の人々を太子堂へ連れて行き、その帰りに龍眼寺の庭を抜けて来ると、男女の人影がみえた。

「御承知のように、龍眼寺の庭は萩の花が名物でございます」

別名を萩寺と呼ばれるように、萩の咲く季節には文人墨客はもとより、多くの人々が集まって賑やかであるが、今は寄りつく人もいない。

「人っ子一人いないような寺の庭に、若い男と女がさしむかいで、なにか話し込んでおりまして、おまけに二人が手を取り合って泣いているんでございますから、どうも、おかしな案配で……」

「それが、宇之助さんとおすみさんだったというんですか」

つい先日、おせんの口から二人の縁談を聞いたばかりのるいが口をはさんだ。

「左様で……むこうもあっしの姿に気がついて、いそいで逃げ出して行っちまったんですが、なんとも様子が奇妙でございました」

それで思い出したのだが、

「馬喰町あたりを縄張りにしているのは、治助と申しまして、あっしの弟分みてえな者でして……」

本業は髪結いなので、長助もあの辺に出かけたついでには、情報交換ということもあって、

「髭をあたってもらいに寄ったり致します」

宇之助とおすみの話を聞いたのは、その治助からだといった。

「何年か前のことなんですが、その頃から宇之助は始終、藤屋へ来て帳場を手伝ったりしていたようで、まあ、その時分から藤屋では宇之助を養子にと考えていたらしゅうございます」

宇之助は高輪の観月楼の次男だが、おすみは養女で、観月楼の養母と折り合いが悪く、藤屋にひき取られたというのは、町内の者も大方が知っていた。

「それで、その時分、藤屋では宇之助を養子にして、おすみと夫婦にし、藤屋の身代をゆずるらしいと噂が出たそうです」

「ありそうなことだな」

東吾がうなずき、るいが訊いた。

「でも、そうはならなかったのでしょう」

「藤屋の先代が反対したようで……」

おせんの亭主で、宇之助には伯父に当る。

「理由はなんだ」

「世間には知られていねえようですが、藤屋の先代が、治助の所へ髪結いに来て、ぽろっと洩らしたとかで……」

「おすみって娘は、観月楼の主人が他に作った子だってんじゃないのか」

東吾がいってのけて、長助は目を丸くした。

「若先生、どうして、それを……」

「他に、反対する理由がなかろうと思ったのさ。それに、観月楼の女房と、おすみとは折り合いが悪かったといったろう」

「へえ、主人のほうは女の子が欲しいと知り合いから貰って来たのに、お内儀《かみ》さんはそりゃあ邪慳《じゃけん》に扱ったそうです」

「普通、養女にするからには、夫婦が話し合って決めるものだろう。亭主が勝手に連れて来て、女房がその子を気に入らねえってのは、つまり、亭主が他の女に産ませた子じゃねえかと疑っているからさ」

長助が、ぼんのくぼに手をやった。

「仰せの通りでござんす。藤屋の先代も、そのあたりを心配してのことだったと……」

「観月楼の夫婦に、本当のことを訊かなかったのか」

「訊く前に、主人のほうが歿って、お内儀さんは疑っただけで、本当のことはわからずじまいでして……」

長火鉢の銅壺《どうこ》から燗のついた徳利を取り出していたるいが首をかしげた。

「おすみさんの親御さんはどうおっしゃっているんですか。観月楼の御主人が養女にもらって来た先の……」

「市右衛門さんは、みなし児だから養女にしたといってなさったとのことで……」

要するに、今となっては、おすみの出生の秘密を知る者は誰もいないということになる。

「それでは、歿った藤屋の先代が用心するのは当り前だな」

東吾が新しい徳利の酒を長助に注いでやりながらいった。

まかり間違うと、兄妹が夫婦になってしまう可能性がある。

「そういう事情を宇之助やおすみは知っているのか」

「藤屋の先代が二人に話したそうです。一生、兄妹として仲よくやって行くようにと……」

「それで、お二人とも、各々にお相手を決められたんですね」

来春早々、宇之助には川越から嫁が来るし、おすみも同じ町の旅籠屋へ嫁いで行く。

「それにしても、二人が手を取り合って泣いていたというのは、穏やかじゃないな」

長助はひかえめに話しているが、龍眼寺の庭で長助がみた宇之助とおすみの様子がただならぬものだったに違いないと東吾は考えた。

お人よしだが、老練の岡っ引であった。単に手を取り合っていただけで、わざわざ「かわせみ」まで相談にやって来るわけがなかった。おそらく、長助が目撃したのは男女の濡れ場に等しいものだったろうと想像がつく。

「もしも、宇之助とおすみが恋仲だとすると、ちと、厄介だな」

東吾の言葉に、るいはあきれたような顔をした。

「そんなことはございませんでしょう。仮に何も知らなかった頃、おたがいに好き合っていたにせよ、兄妹かも知れないとわかったら、きっぱりあきらめると思います。現にお二人は別のお人と祝言をあげることになっているのですもの」

長助が救いを求めるように東吾を眺めた。

「そいつは、るいのいう通りだが、世の中には杓子定規には行かないものもある」

「でしたら、私、おせんさんに申します。お二人に人の道を話して、きっぱり思い切るようにと……おせんさんから……」

東吾が当惑して顎を撫で、長助はたて続けに、ぼんのくぼに手をやった。

「そいつは、もし、二人が泣きながらでも別れようとしているなら、かえって、藪を突ついて蛇を出すことになるだろう」

俺が一緒に行くよ、と遂に東吾はいった。

「おすみって女は柳島村にいるんだろう。祝言の祝いになにか欲しいものでもないかと、そんな口実で、二人して行ってみようじゃないか。他ならぬ藤屋のことだ。知らん顔も出来まい」

それで、るいが納得し、長助は早々に礼をいって腰を上げた。

「はいはい、千春嬢様のお目がさめました」

とお吉が抱いて来たのを幸い、東吾は一人で長助を送りがてら外まで出た。

「若先生、申しわけございません。とんだ御厄介をおかけ申します」

長助が改めて頭を下げ、東吾が笑った。

「龍眼寺での二人の様子は、おかしかったんだな」

「そりゃもう、あられもねえと申しますか」

「だろうと俺も思った」

心配するな、明日にでも行って来る、と東吾が長助の肩を叩き、長助は何度もお辞儀をして帰って行った。

三

早いほうがいいと東吾は判断した。

翌日、講武所の稽古をやりくりして、るいと屋根舟で柳島村へ出かけた。

「俺の知り合いが向島にいて、病気見舞の帰りってことにしよう」

舟の中で打ち合せをして、藤屋の隠居所へ行ってみると、声をかけても返事がない。

「おせんさん、出かけたんでしょうか」

るいが不本意そうにいい、庭のほうをのぞいたりしていると、廊下に足音がしておすみが顔を出した。

「すみません、風邪をひいて、どうにも具合が悪く、横になって居ましたので……」

成程、髪も乱れているし、帯もほどいてしまっていて、半天で前をかくすようにしている。

「そいつは悪いところに来ちまったな、隠居は留守なのか」

東吾がざっくばらんにいい、おすみは小さくうなずいた。

「今日は、用事があって馬喰町のほうへ行きました」

「おすみちゃん」

たまらなくなったように、るいが前に出た。

「具合の悪い時に、こんなことをいうのは気の毒ですけれど、あなた、もしや、今度の縁談に気が進まないんじゃありませんか」

おすみがきょとんとした目でるいを仰いだ。

「どうしてですか」

「どうしてって……あなたと宇之助さんが好き合っているっていった人があるものだから……」

東吾は、つい苦笑した。苦労したようでもお嬢さん育ちで、るいは男女のことというといやに潔癖で、婉曲ないい方が出来ない。

おすみは赤くなり、しかし、きっぱりと答えた。

「そんなこと……たしかに、宇之助兄さんとは、子供の時から、なんでも話し合って来ましたけど……好き合うっていうのとは違います。なんといっても、兄妹ですから……」

「吉野屋さんへ嫁入りすること、いやじゃないのね」

「はい、ありがたいと思っています。あたしのようなものを好いて下さって、女房にとのぞんで下さったのですから……」

るいの表情が柔かくなった。

「それならいいのだけれど……」

「家も近所ですし、こんないい縁談はないと思っています」

東吾が口をはさんだ。

「吉野屋の若主人とは、よく会っているのか」

おすみが恥らった。

「近所ですから、あちらへも遊びに行きますし……縁談が決ってからいろいろと手伝ったりもして……」

「そりゃあいいな」

るいをふりむいた。

「隠居が留守じゃ、また、出直して来るか」

具合の悪い所をすまなかった、体を大事にするようにといいおいて外へ出る。

るいは安心し切っていた。

「やっぱり、長助親分のかんちがいですよ。お嫁に行くのを、あんなに喜んでいるんですから……」

東吾もうなずいた。

「俺は帰りに長寿庵へ寄るよ、長助を安心させてやろう」

永代橋へ出る手前、仙台堀のふちで東吾だけが舟を下りた。るいの心はもう家で待っている千春のことになっている。

長寿庵の入口をくぐると、長助がとんで来た。

「長助の目は藪にらみじゃなかったよ」

低声《こごえ》で告げた。

「おせんは馬喰町へ行ったとかで留守だったが、奥に宇之助が来ていたようだった」

おすみは風邪といっていたが、

「うちの内儀さんは欺されたが、男の目はごま化せねえ。多分、あられもねえ最中だったんだろう」

東吾の言葉に、長助が合点した。

「下手をすると、とんだことになるんじゃねえかと……」

「ぎりぎりで切れりゃいいが、危っかしい気がするよ」

「どなたかに説教してもらうってえことは……」

「馬の耳に念仏だろうな」

せいぜい、藤屋の主人夫婦にいって、二人をそれとなく見張ってもらうことぐらいだろうと東吾はいった。

「それもよっぽどうまくやらねえと裏目に出るぞ」

畝源三郎に相談してみるといって、東吾はがっかりしている長助と別れて「かわせみ」へ戻った。

遅くなった午飯をすませ、千春をあやしていると、嘉助がやって来た。

「藤屋の、宇之助と申しますのが参って居りますが……」

千春をるいにあずけて東吾が出てみると、帳場の脇に神妙にひかえていた若い男が手を突いてお辞儀をした。

「突然、おさわがせ申します。手前は藤屋の宇之助と申します」

「あんたが宇之助か」

東吾がうなずき、嘉助が帳場の脇の小部屋へ案内した。そこにはちょっとした客の応対のために手あぶりと座布団が用意されている。

「実は、今日、柳島村からおっ母さんが馬喰町へ参りまして、おすみが風邪をひいているので薬を届けてやってくれといわれまして隠居所へ参りました。すると、おるい様が御夫婦でお立ち寄りになり、手前とおすみのことを大層、御心配下さっているときいきまして、申し開きと申しますとなんでございますが、思い切って、なにもかも聞いて頂くつもりで参上致しました」

嘉助が自分でいれて来た茶には手もつけず、宇之助は熱心に喋り出した。

たしかに自分は或る時期、おすみを女房にしたいと考えていたという。

「親のことを、とやかく申すのもすみませんが、手前には冷たい所がございました。ましてね、何故か観月楼の母親は同じ実の子だというのに、兄の市太郎はともかく、手前には冷たい所がございました。まして、おすみは父親が他から連れて来た子というので、母は気に入らず、すぐにぶったり叩いたりで、ついつい、手前がおすみをかばう。それが亦《また》、母の機嫌をそこなうことになり、いつの間にか、二人でかばい合って暮して来たような案配でして……おすみが藤屋へもらわれて行き、手前も追いかけるように、藤屋の養子となったのは、おすみと別れたくない気持があったからだと存じます」

けれども、と、宇之助はすがるような目で東吾を見上げた。

「二人が、もしかすると、同じ父親の子、兄妹だったかも知れないときかされましてからは、夫婦になろうとは考えませず、兄妹として助け合って行きたいと話し合いましてございます」

東吾が宇之助の視線をがっしりと受け止めた。

「話し合いの通りに、あんたらはやって行けるのか」

宇之助が目を伏せた。

「正直の所、思い切れないところがございました。ですが、いやでもそうしなければならないことになりましたので……」

両手で自分の膝を摑み、宇之助は唇をふるわせた。

「おすみが、友吉さんの子を妊《みごも》りました」

思わず、東吾は、ほうと声を洩らした。

「先日、深川の長助親分が龍眼寺で手前どもをおみかけなすった時、あれは、おすみが手前にそのことを白状して居りましたので……」

吉野屋の友吉と縁談がまとまり、吉野屋へ手伝いに行っていて、そういう仲になったらしいと、流石に宇之助はつらそうにいった。

「友吉さんはそりゃあおすみに惚れていまして、おすみもその気持にほだされて夫婦になろうと決心したので……男にしてみれば、祝言が待ち切れなかったのでございましょう」

「友吉は、おすみが妊ったことを知っているのか」

「手前が話しました。友吉さんは少しでも早く祝言をあげておすみを安心させたい。世間はいろいろいうだろうが、自分がおすみを守るからと申してくれました」

「成程、そういうことか」

宇之助とおすみの仲が、なんとなく目にみえて来て、東吾は納得した。

子供の時から、かばい合って生きて来て、ごく自然に恋仲になった。が、兄妹かも知れないと聞かされて、驚きもし、別れる決心もしただろう。とはいえ、一度、燃え上った恋の炎を消すのは容易ではない。

そのあたりを考えて、おすみは友吉に身をまかせたのではないかと東吾は気がついた。妊れば、泣き泣きでも宇之助とは別れられる。その別れが龍眼寺だったとすると、二人が最後に男と女に戻ったとしても仕方はなかろうと思う。たまたま、それが長助の目に入った。

とすると、今日、おすみが具合悪そうにしていたのも、子供を妊ったためだったかも知れないと思い返して、東吾は今更ながら長助に男の目はごま化せないなぞときいたふうなことをいったのが気恥かしくなった。

「そうとは知らずに、よけいなお節介をやいてすまなかった。いろいろと苦しいこともあろうが、結局はおたがいのためだ。乗り越えて、生涯、いい兄妹としてつき合って行けよ」

東吾が柄にもなく、説教する口調になり、宇之助は涙を浮かべて礼をくり返した。

「どうも、気の毒な人達でございますね」

宇之助が帰ってから、嘉助がしみじみといった。

「ですが、果して兄妹に戻れますでしょうかね」

「戻らざるを得ないだろう。どっちにも女房と亭主が出来る、子供も生まれるだろう。だんだんに情が移るさ」

「あまり、近くに住まねえほうがいいようにも思いますが……」

嘉助は気がかりそうであったが、東吾はそれ以上、他人が心配しても仕方がないと思った。

で、居間へ戻って、千春に乳をふくませているるいにその話をすると、るいも鼻をつまらせた。

「ようございましたこと。私、東吾様と姉弟でなくて……」

「何をいってやがる……」

笑い捨てて、なんとなく乳を飲み飲み眠りかけている千春を眺めて、心の深い所にひっかかるものを感じた。

兄の養子となった麻太郎の、本当の父親は自分に違いないと東吾は確信を持っている。

しかし、それは今のところ、断じて口外出来ない。

もし、将来、麻太郎と千春が、と考えて、東吾は心の中で大きく否定した。

そんな馬鹿げたことがあるわけがないと思う。第一、それまでには、機会を得て、麻太郎に真実を語る折があるに違いない。

翌日、東吾は講武所へ出かける前に八丁堀の畝源三郎の屋敷へ寄った。

数寄屋橋の奉行所へ出仕する源三郎と途中まで肩を並べ、藤屋の宇之助とおすみの話をした。

「実は、手前も東吾さんに報告しようと思っていたのですよ」

その二人のことを長助から打ちあけられて、

「うっかり心中でもされては困りますので、馬喰町の町役人《ちょうやくにん》に、それとなく二人のことを訊ねたのです」

という。

「町役人は、吉野屋の親類に当りまして、友吉がおすみを嫁にすることも知っている。それが、思いがけないことを話しました」

友吉とおすみがいい仲になっていて、おすみは友吉の子を妊ったというのであった。

「若い者は分別がなくて困ります。ですが、友吉は天にも上る心地で大喜び致して居ります。何分、大目にみてやって下さいまし」

と町役人が源三郎に打ちあけたというのであった。

「そうすると、宇之助の話は本当だったんだな」

「嘘だと思ったのですか」

「いや、八分通りは信じたよ」

「二分は、どう考えたのです」

「ひょっとして、おすみの腹の子は宇之助のではないかとね」

「自分の子かも知れないのを、この際、友吉の子にしてしまおうということですか」

「源さんは、どう思う」

「案外、おすみにもわからないのではありませんか。どちらが父親か……」

おすみが宇之助と恋仲であり、その上で友吉とも契りを結んだとなると、たしかに、どっちが父親か、おすみ自身にもわからないものかも知れないと源三郎はいった。

「しかし、生まれてくればわかるでしょう。子供の顔をみれば……」

「女親に似ていたら、どうなる」

「知りませんよ。麻生宗太郎《そうたろう》どのにでも聞いて下さい」

「若い者のやることは無分別だな」

「そういうせりふが出るだけ、東吾さんも年をとったわけです」

「何をいうか」

終りはいつもの調子に戻って、東吾はお堀端で畝源三郎と別れて、講武所へ向った。

そして、あと三日で今年も終りという日、東吾は軍艦操練所の帰りに、深川へ足をのばし、長寿庵へ寄った。

長助の孫の長吉に、書き初めの手本を書いてやる約束があったからだったが、店へ顔を出すと、釜場から長助の女房が緊張した様子で出て来た。

「うちの人は、畝の旦那と御一緒に……」

「町廻りか」

「いいえ、吾嬬《あづま》の森って所で心中が……」

「なんだと……」

「おっ母あ」

店の奥から悴が呼んだ。

「今、辰吉が帰《けえ》って来て、親父が若先生をお迎えに行けと……」

長助とも、いつの間にか以心伝心になったと思いながら、東吾は店の裏へ廻った。そこに、長助の下っ引の辰吉が立っている。

「有難《ありがて》え、若先生、おみえになっていらっしゃいましたんで……」

御案内申します、と、先に立った。

仙台堀に舟が着けてある。

竿を取ったのも辰吉で、これは船頭が本職であった。

「心中者というのは、藤屋のか」

舟が岸を離れてから東吾が訊き、辰吉が、

「宇之助とおすみの兄妹で……」

と答えた。

「やっぱり……」

という思いと、

「こんな筈では……」

という思いが脳裡を走り抜けて、東吾は西陽の当っている仙台堀をみつめていた。

「知らせは、どこから来たんだ」

気を取り直して東吾が口を開き、

「吾嬬権現《ごんげん》の神主が、あんまり鳥がさわぐので、森のほうへ出てみたら、そこに二人が折り重なっていて……慌てて川向うの畑で仕事をしていた百姓を呼んだそうです」

その百姓が死体をみて、おすみを近所の隠居所の娘だといい、おせんへ知らせが走ったものだといった。

「親分がいってました。本来なら川向うで支配違い、厄介になるところだったと……」

「吾嬬権現の敷地内なら、お寺社だろう」

「そっちは畝の旦那が、筋を通しなすったようで……」

辰吉の竿さばきは鮮やかで、仙台堀から横十間川を突っ切って、北十間川へ入った。

柳島村からかなり上った岸辺にこんもりした森がみえる。

吾嬬の森、又は、浮洲《うきす》の森と呼ばれる所で、その中に吾嬬権現の社《やしろ》がある。

社記によると、

「景行天皇の御宇《ぎょう》四十年、皇子、日本武尊の東征の際、相模国より上総国へ海上を渡らんとする時、俄かに嵐の起って王船《みふね》を沈めんとした。妃、弟橘媛《おとたちばなひめ》、海神に身を捧げ、為に王船つつがなく岸に着くことを得たまう」

とある。その弟橘媛の御裳《みも》がこの近くに流れつき、それを御廟としたのが吾嬬権現の起りだとされている。

あたりは冬野で、水辺には何羽もの水鳥がひっそりと羽を休めている。

舟を上って参道を行くと、森かげに長助が立っていた。

そのむこうに畝源三郎が来たばかりらしい検屍の医者と話をしている。

「若先生……」

長助が顔をくしゃくしゃにして、木かげへ東吾を導いた。

宇之助とおすみはおたがいの頭を相手の肩の上にのせたような恰好で向い合ったまま、絶命していた。各々は右手に出刃庖丁を持ち、相手の胸を深く突きさしている。

まさに、相対死《あいたいじに》であった。

東吾の耳に、必死で釈明していたおすみの声と宇之助の声が甦って来た。

あの言葉に嘘はなかったと思う。

二人とも、なんとか生きようと努力し、結局、死なずにはいられなかった哀れさが、むごたらしい死顔にこびりついているようであった。

医者が検屍をすませ、二つの死体は役人が指図して運ばせて行く。

心中は御法度であった。

遺族は遺体をひき取ることも、野辺送りをすることも、表向きには許されない。

「東吾さん、行きますよ」

源三郎が声をかけ、東吾は黙って森を抜けた。

川からの水が、田のすみに小さな沼地を作っている。

そこに二羽の水鳥が、たがいの首を巻きつけ合うような恰好で丸くなっていた。その姿が、たった今、各々にひきはなされた宇之助とおすみの最期の姿に重なって、東吾は足を止めた。

堤の上を、戸板にのせられた二人の死体が遠ざかって行くのが見える。

冬の陽はすでに落ちて、北十間川の岸辺を風が吹きはじめていた。

西行法師《さいぎょうほうし》の短冊《たんざく》

一

門松がとれて間もなくの午後に、神林東吾が講武所から帰って来ると、居間の障子が一枚はずれていて、縁側で女中頭のお吉と見馴れない男が顔を突き合せるようにして何かやっている。

東吾をみると、

「お帰りなさいまし。お寒いところを申しわけありません。弥吉さんがすぐ済むと申しますので……」

亀の子のように首を縮めて、妙な挨拶をした。で、

「るいは出かけたのか」

と訊くと、

「はい、千春嬢様をおつれになって、畝様のお屋敷に……」

という返事であった。若い男、といっても三十にはなっているとみえるが、東吾に対して丁寧な会釈をしたものの、すぐに亦《また》、はずした障子の上に身をかがめるようにして仕事を続けている。

どうやら、障子の切り張りをしているとわかったので、東吾はさりげなく帳場へ戻った。

ちょうど一足違いに帰って来たらしいるいが、

「申しわけございません。お帰りまでには戻るつもりで居りましたのに……」

あでやかな笑顔を向けた。その手から千春を抱き取りながら、

「お吉の奴、また、障子に穴を開けたのか」

と訊いたのは、お吉は忠義者でよく気のつく女だが、そそっかしいのが玉に瑕《きず》で、よく障子を破くからだった。

「いいえ、今日は千春が悪戯《おいた》を致しましたの」

るいが、千春の小さな頬をちょいと指先で突いた。

生後一年になる千春は暮の中《うち》からつかまり立ちをおぼえ、すぐによちよち歩きをはじめた。

「お吉と遊んでいて、右手を障子に突っ込みそうになったので、慌てたお吉が手を出して、結局、破いたのはお吉なんですけど……」

理由が理由だから、お吉を叱らないで下さい、とるいにいわれて東吾は笑った。

「俺は障子を破いたくらいで怒りやしないよ」

そういえば、昔、るいの家でしくじったことがあったな、と思い出した。

どうせ、張り替えますので、盛大に破いて下さいと、その頃から庄司家の女中だったお吉にいわれて、いい気になってべりべり破いている中に、新しく張り替えたのまで、うっかりひっぺがした。

「あの時は、びっくりした」

「東吾様ったら、それはいけませんっていう間もなしに……」

十何年という歳月が一気にかけ戻ったように夫婦が笑いながら話しているのを、嘉助が嬉しそうに眺めている。

居間へ戻ってみると、障子は修理が終っていて、お吉がよっこらしょと敷居にはめている。

「さあさあ、千春嬢様、いくらお破きになってもかまいませんよ、弥吉つぁんが、こんなにきれいにしてくれましたから……」

自分の粗忽《そこつ》を棚に上げていい、気がさしたのか、首をすくめてへへへと笑って、

「まあ、本当にすみません、破いたのはわたしなんです」

改めて、お吉は東吾へお辞儀をした。

「そんなことは、どうでもいいが、この繕いは、今の男がやったのか」

思わず、東吾が訊いたほど、その障子の切り張りは巧みに出来ていた。ちょっとみた限りでは、どこを繕ったのか判らない。

「男のくせに器用なんですよ。この前、梅の間の障子を繕った時も、つくづく感心しましてね」

「あいつ、経師屋《きょうじや》か」

「いいえ、小間物屋です」

「なんだと……」

東吾がきょとんとし、るいが笑った。

「昨年の秋に、ひょっこり裏口に来たんですって。ちょうどお吉が女中達と大根干しをしていて、弥吉さんが手伝ってくれたらしいんですけど、縄のかけ方がそりゃあ手ぎわよく出来上ってるんですよ」

大川端の旅籠「かわせみ」では、秋になると沢庵漬のための大根干しがはじまる。洗い上げた大根を軒下に横並べにして吊すのだが、素人仕事で見た目はそうよろしくない。それでも沢庵を漬けるのに支障がなかったのだが、今年は輪をかけて吊された大根が、まるで梯子段のように等間隔でぴしっときまっていた。

「弥吉つぁんがいうんですよ。大根の頭と尻尾と一直線にぴんと吊さないと、干し上りがよくない。そうすると漬けた時にも味に微妙な差が出て来るって……」

お吉が得意そうに説明し、東吾は面白そうに聞いている。

「小間物屋になる前は漬物屋だったのか」

「生まれつき、手仕事が好きなんだそうですよ。火のしのあて方だって、あの人がやるとぴんとするし、針のメドに糸を通すのもうまいし……」

「驚いたな。お吉も年のせいで、針のメドが通らなくなったのか……」

「いいえ、わたくしはもともと不器用で……」

「そういえば、お吉はいくつになったんだ」

「もう、ようございます。年のことなんぞ」

正月気分の抜けない「かわせみ」の奥は例によって賑やかに時が流れて行ったのだったが、それから東吾が気をつけていると、弥吉という小間物屋は五日に一度ぐらいの割合で、この界隈を廻って行くらしい。

持って来る品は、女の化粧道具や水油などの髪に用いるもの、ちょっとした飾り物や櫛の類、それに顔を洗うにはこれが評判だとか、手の荒れにはこの油がよく効くだとか、こまごましたものが多く、けっこう女達は重宝しているようであった。

感心するのは、そのまめな点で、若い衆が薪割りをしていれば、世間話をしながらその薪を納屋の軒下に積み上げて行くし、物干竿や手桶のこわれたのの修理はお手のものである。女達も心得ていて、弥吉が顔を出すと、どこそこの戸のたてつけが悪いの、へっついの火がつきにくいのと、ありとあらゆることをいいつけるが、彼は一向に面倒がりもしないで、ちょいちょいと片付けて行く。

どちらかというと力仕事は苦が手で、女達も華奢な体つきの彼に見合うような頼み事をしていた。

「かわせみ」で一番、弥吉と親しくなっているのはお吉で、相変らず針のメドに糸を通してもらったり、簞笥の後に落ちて、どうやっても取れなかった物さしを拾わせたりしながら、例の聞き上手で、弥吉の素性を洗い出した。

「驚くじゃありませんか。あの人は水戸様の御城下で、れっきとした人形屋の悴さんなんですと。なんでも、本当のおっ母さんが弥吉つぁんを産んでから体を悪くして、姑さんがそれじゃ嫁のつとめは果せないってんで、離縁になったんだそうでございます。その後へ新しいおっ母さんが来て、弟が生まれて、弥吉つぁんはその弟に店をゆずって江戸へ出て来たので……ああやって行商しているのも別れたおっ母さんを探すためだと申しますから……」

すっかり身につまされた恰好のお吉が東吾に訴えた。

「母親の居所はわからないのか」

「実家は、弥吉つぁんがまだ子供の頃に離散しちまったらしいんです」

「それにしたって親類かなんかが……」

「江戸へ奉公に行ったとしか知らないそうなんです。いざとなると親類なんてのは薄情なもので、かかわり合いになるのを怖れたってくらいですから……」

「弥吉はいくつの時に江戸へ出て来たんだ」

「水戸を出たのは十五だっていってました。暫くは館林のほうの知り合いの店に奉公していて、そこから伝手《つて》を頼って江戸へ出て、ぼつぼつ十年になるようでございます」

「おっ母さんの手がかりは全くないのか」

「当人も無理だろうといってました。名前がおきく、生きていれば四十七っていうだけじゃ、探しようもありませんですよ」

そういいながらも、お吉は深川の長寿庵の長助に、もし、そういう女の話を聞いたら知らせてくれろと頼んでいるらしい。

「世の中には不幸せな人もあるものですね。本当なら水戸の立派なお店の御主人になれたものを……」

るいも弥吉に同情して、来るたびにちょっとしたものを買ってやっている。

それで、東吾もむげには出来ず、たまたま畝源三郎に出会った時、弥吉の話をした。

定廻りの旦那は商売柄、地獄耳だから、ひょっとして何かの折にと考えたのだったが、

「そういう話は、よくあるのです。地方の旧家ほど若い嫁さんの立場は弱くて、ちょっと姑の気に入らないと忽《たちま》ち家風に合わぬなぞといって暇を出すようです。体が弱く病気がちだったりしたら尚更ですよ」

出戻りになった女は実家にも居づらくて、適当な後妻の口でもみつかれば別だが、大抵が奉公に出ることになる。

「この節、江戸は女中不足といわれていますから、けっこうそうした女が江戸へ集って

来ているのですが、四十七にもなって、まだ奉公を続けているかどうか……」

第一、堅気の奉公に出たならばまだよいが、

「下手をすると、悪い男にひっかかって岡場所へ売りとばされていることもありますから……まず、大川へ落ちた一文銭を探すよりも難しいでしょう」

といわれてしまった。

二

その日、「かわせみ」へ弥吉が立ち寄った時、帳場に長助が一人の客を伴って来ていた。

深川佐賀町の質屋で、千種屋という三代続いた大店の女隠居で名はお辰。

もっとも、隠居といっても、先代の後妻に入ったので、年はまだ四十がらみ、去年の春に嫁を迎えて、四代目の主人となった清兵衛は先妻の産んだ子なので、お辰とは一廻りほどしか年が違わない。

「決して、悴さん夫婦と折り合いが悪いてえのじゃございません。なにしろ、御隠居さんは清兵衛旦那が五つの時から手塩にかけて育てなすったんで、そういっちゃあなんですが、生みの親より育ての親。清兵衛旦那もなにかにつけてそうおっしゃるくらい、親子の仲はうまく行っているんでございます」

では、息子の嫁が気に入らないかというと、そんなことは全くなくて、

「清兵衛旦那のお内儀さんになったお小夜さんてのは、同じ町内の酒問屋の娘さんで、清兵衛旦那とは幼なじみ。素直で気立てのいいところを、御隠居さんがすっかり気に入って是非、悴の嫁にと話をまとめたくらいですから、こちらもどうってことはねえんでして……」

るいとお吉を前にして、長助が熱弁をふるって説明したのは、この「かわせみ」から少々、新川寄りにある家作に、お辰が隠居として引き移って来た理由で、

「なにしろ、千種屋さんへ嫁に来て二十年、気を抜く暇もないような毎日で、やっと清兵衛旦那が嫁さんをもらい、肩の荷が下りた所で、これからは先代の菩《ぼ》提《だい》を弔いがてら、ゆっくりした隠居暮しをしてえ、と、こういうわけでございまして……」

店にいたのでは、つい、商売に口を出したり、奉公人に気を使ったりで、それはかえって若夫婦のためにもならない、いっそ思い切って近くに隠居所でもと考えていた矢先、知り合いが手頃の家があいていると教えてくれたので、この正月の祝いが一段落したところで引越して来たものだという。

「何分にもお近くでございますんで……」

と長助に紹介されて、お辰は、

「気のきかない者でございますが、どうぞよろしくお願い致します」

丁寧に挨拶し、るいも、

「そういうことでございましたら、こちらこそ御昵懇にお願い申します。お困りのこと

でもございましたら、なんなりとお気軽におっしゃって下さいまし」

お吉と嘉助をひき合せた。

深川佐賀町は永代橋のむこうで、距離からすれば遠くはないが、大川の対岸とこちら側とでは、出入りの八百屋、魚屋から湯屋までが違って来る。

新しい町に馴染むには、まずそのあたりからと、お吉は早速、魚はどこそこのが安くて新しいとか、青物はぼてふりで来るのをそちらへうかがわせましょうと世話を焼いたついでに、たまたまやって来た弥吉のことも、

「便利重宝な人なんですよ。なにしろ、針のメドに糸を通すのの名人でして……」

と、弥吉を途方に暮れさせるような紹介をした。

だが、お辰は弥吉の荷をのぞくと、

「早速、欲しいものが二、三ございます。御面倒でも、こちら様の後、寄って下さいまし」

といい、るいに手土産を渡して帰って行った。

「今のお人は、なかなかの苦労人のようだね」

外まで送って出た嘉助が戻って来て長助にいい、

「そりゃもう、よく出来たお内儀さんだったたんで……」

少しばかりかしこまっていた長助が冷えた茶碗に手をのばしながら話し出した。

るいは奥に入って、そこに残ったのは嘉助と長助の他はお吉と、すみにひかえている

弥吉の四人で、長助の口調もずっと滑らかになっている。

「実をいうと、あのお内儀さんはその昔、柳橋に出ていてね。若いのに清元を語らせたら声はよし、節廻しよしで、そりゃあ人気があったもんでさあ」

千種屋の先代とは仲間内の寄合なんぞの席によばれて顔見知りだったが、格別、深い仲というのではなかったと長助はいう。

「その時分、お辰さんには日本橋の茶問屋の旦那がついていましてね。ところが、お辰さんが二十の年に、その旦那がぽっくり逝っちまって、その後、馴染になったのが千種屋の先代で、こちらはちょうど一年前にお内儀さんをなくしている。とかく病気がちの両親とまだちいせえ悴さんを抱えていて、いくら奉公人がいたところで、奥の切りもりをする女房なしでは無理だてんで、お辰さんを落籍《ひか》して後添えに直したんです」

最初は芸者上りと心配する人が多かったのだが、お辰はしっかり者で、舅、姑によく仕え、生さぬ仲の子供を可愛がって、立派に大店の内儀の役目を果した。

「ですが、それだけ世間の評判になるには、当人に、人にいえねえ苦労もあった筈で、旦那の両親がどっちも長患いのあげくに旅立って、漸く、夫婦水入らずになったとたんに、先代が卒中で倒れて、半月足らずで後家さんになっちまったんです」

跡継ぎの清兵衛はまだ十五、お辰は二十七で千種屋を背負って立つことになった。

「それから十年。まあ、お辰さんて人は、人が五十年かかってやることを、その半分くらいでやってのけた案配でして、その分、みかけより年もとったって感じなんでござんしょう」

長助の言葉に嘉助もうなずいた。

「そりゃあ苦労しただけあって、かしこい判断をしなすった。いくら気に入った嫁といっても、一緒に暮せば必ず揉め事の一つや二つは出て来るものだ。実の親子のようだった倅が、その時、女房の肩を持ったら、どんなに寂しかろう。といって、自分のせいで夫婦仲がおかしくなったら、それはそれでつらいものだ。大川のむこうとこっちに離れて暮すくらいが一番いい。金に不自由はないのだろうから、けっこうなことじゃないか」

お吉が訊いた。

「倅さん夫婦は、お辰さんが別に暮すことに苦情はなかったんですか」

「そのことについては、心配してあっしの所にも相談に来たんだが、おっ母さんがのんびり余生を送るには、好きなようにさせてやるのが親孝行だと気持よく承知したわけで、月々の仕送りも充分にするし、少々のまとまったものも持たせるという念の入りようで、お辰さんもそりゃあ喜んでいましたよ」

隠居所のほうには、今までお辰に仕えていた女中がそのままついて来て、なに不自由ない暮しらしい。

「それじゃ、長年の苦労も報われましたね」

ほっとしたようにお吉がいい、

「弥吉つぁん、おまちどおさま」

今日は水油と洗い粉をもらおうかと、漸く腰を上げた。

長助に頼まれたこともあって、「かわせみ」では、お辰の隠居所に気をつけて、押し売りに手を焼いたり、地廻りが因縁をつけに来たりしたら、すぐに知らせにおいでなさいと嘉助が女中に声をかけておいたのだが、何事もなく、少しずつ新しい町に馴染んで行くようであった。

女の隠居暮しということもあってか、近所とのつきあいは殆どせず、買い物などは女中まかせで、お辰は家の中にひきこもっていることが多いらしい。

時折、隠居所の前を通りかかったお吉が、三味線の音を聞いたりして、

「清元のおさらいなんぞをしているみたいですよ。質屋のお内儀じゃ、長年、三味線を持つこともなかったでしょうからね」

自由な隠居暮しになって好きな芸事をはじめたのだろうと、微笑ましく話したりした。

月末に東吾は兄の使で狸穴《まみあな》の方月館へ出かけた。例年、この頃になると前田家から奉行所へ加賀の酒が届けられるので、それが与力、同心に下賜される。

「松浦方斎《まつうらほうさい》先生は、とりわけ、加賀の酒がお好みなので……」

と神林通之進は、それを必ず東吾に届けさせていた。

で、東吾は軍艦操練所を早めに出て「かわせみ」へ戻り、まっしぐらに狸穴へ向った。

いい具合に天気はよいが寒気はきびしい。

飯倉へさしかかるあたりは午すぎになっても溶けなかった霜柱に陽が当っていた。

方月館には客が来ていたが、東吾が着いた時にはちょうど帰りかけるところであった。

掛け軸でも入っていそうな細長い風呂敷包を持っている。廊下ですれ違った東吾に会釈をして出て行ったが、様子に元気がなかった。

加賀の酒を披露し、おとせが運んで来た甘酒を飲んでいると、客を送って行った善助が戻って来た。

「どうも、青山様もとんだことで……」

といったところをみると、今、帰った客は青山というらしい。

「東吾は会うたことはなかったかの。今井町に住む旗本の隠居どのでな」

旗本といっても、当主の禄高は百五十石ばかりの小身だが、その妹が清水家へ奥仕えに上っていると方斎は話し出した。

「萩尾どのといわれて、なかなかの才女らしいが、御簾中のお気に入りで、奥の一切を取りしきっているとか」

従って出入りの商人は萩尾の才覚でどのようにでもなる。

「萩尾どのの御機嫌を損じては注文が減るばかりか、下手をするとお出入り禁止になりかねぬほどの権勢じゃそうな」

「女とは申せ、なかなかですな」

奥へ出入りの商人といえば、呉服物や調度品などの高級なものから、日常の賄《まかない》、鮮魚や青物、味噌、醬油、酒の類から薪炭まで多種多様に及ぶ。その各々に清水様御用の鑑札を頂いた御用商人が出入りをしていることになる。

「清水家と申せば、御三卿の一つ、そちらにお出入り出来るとあれば、商人にとっては何よりの信用になりましょう」

東吾の言葉に、方斎がうなずいた。

「それ故、苦々しいことだが、商人どもは萩尾どのにつけ届けを欠かさぬそうじゃ」

商人の数が多い分だけ、それは莫大なもので、その故に、萩尾の実家である青山家も急に内情が潤沢になった。

「金が出来ると、次は家門の立身を思うものかの」

青山家の隠居は、家督を継いだばかりの、萩尾の弟に当る準之助を役付にしようと奔走をはじめた。

「名は申せぬが、勘定所の或る仁が、まことに羽ぶりがよい。青山どのはその仁に近づいて、悴どのを推挙してもらおうとの魂胆での。その仁は大層、書画骨董に目がないと聞いて、なにかと進物をして居った。昨年の暮にたまたま、或る筋より逸品を入手し、早速、歳暮に届けたのだが、それが返却されて来たと申すのじゃよ」

先方の口上は、このような贋物を贈って愚弄する気かと、大変な立腹だったらしい。

「贋物だったのですか」

それが、先刻、青山という老人が小脇に抱えて行った包だと、東吾は気がついた。

「いったい、なんだったのです」

「西行の筆になる自作の和歌じゃな」

「西行法師ですか」

鳥羽院の北面の武士で、佐藤義清《のりきよ》といい、二十三歳の時、出家して西行と称した高名な歌人というくらいは、兄の影響で、東吾も知っている。

「西行の自筆となると、さぞかし高価でしょうな」

価もだが、おいそれと入手出来るものでもないだろうと東吾は思った。

「左様なものを、青山どのはどこから手に入れられたのですか」

「出どころは申されなんだ。然るべき骨董屋でないことだけは明らかじゃが……」

大金を払って贋物をつかまされただけでも災難なのに、それを進物に使って先方から不興を蒙ったのでは、まさに泣きっ面に蜂であった。

「かように申しては酷かも知れませんが、身から出た錆でございましょうか」

東吾がいい、方斎も苦笑した。

「世の中、皮肉じゃな」

暫く世間話をして、東吾は暇を告げた。

三

東吾が狸穴から帰った夜から雪になった。

翌日も降ったりやんだりで、更に一夜があけると、この冬一番の積雪になった。

「かわせみ」でも、男達が総出で雪下しをし、その中《うち》に嘉助が、

「お辰さんの所はどうなっているかね」

と気がついて自分で見に行った。

雪かきというほどでもないが、玄関から表まではなんとか道がついていて、女中が竹箒で植木の枝を叩いている。

「えらい雪だったね」

声をかけて、ひょいとみると、物置から炭箱を持って男が出て来た。嘉助をみると、ちょっと間の悪そうな顔で会釈をした。それが小間物屋の弥吉なのである。

早朝から雪見舞に来たのかと思ったが、それにしては、彼の恰好が着流しに素足で下駄まではともかく、女物の半天をひっかけている。

これはひょっとするとと思ったが、嘉助はそ知らぬふりで踵《きびす》を返した。

お辰の家に弥吉が来ていて、それも、どうやら昨夜泊ったらしいのを、嘉助は誰にもいわなかったが、午飼に台所へ行って握り飯をつまんだ際に、味噌汁をよそってくれたお吉に、

「そういや、近頃、弥吉つぁんは来ているかね」

と訊いてみた。考えてみると、嘉助はこのところ、弥吉の顔をみていなかったからで、

「とんと御無沙汰なんですよ。風邪でもひいたのかも知れませんね」

という お吉の返事であった。

「あの人は、どこに住んでいるんだね」

重ねて訊ねると、

「なんでも、浅草のほうの知り合いに居候しているそうですよ」

聞き上手の筈のお吉が、その程度しか知っていない。

雪のあしたは大いそがしで、嘉助もそれ以上、弥吉にこだわっていられなかった。

小さな宿屋だが、並みの家よりは広いし、庭もある。裏木戸が雪のせいで開かなくなっているだの、松の枝が折れただのと、女中達がいってくるたびに、嘉助は植木屋になったり、大工の真似事をしたりして、一日が終った。夕方には兄の屋敷へ手伝いに行っていた東吾も帰って来て、

「すまなかったな、俺のやる所を嘉助一人にさせちまって……」

とねぎらってくれた。帰りがけに兄嫁の香苗が渡してくれたのだと、小ぶりな酒樽を下げている。

「骨休めに一杯やろう。かまわないから、こっちへ来いよ」

無理に居間へ連れて行かれた。

千春は奥で寝ているし、るいは客の部屋に挨拶に行っている。お吉は泊り客の晩餉の指図に忙しいようだ。

東吾が茶碗を二つ出して、冷《ひや》でまず一杯。

「流石に、お屋敷からお持ちになる御酒は、おいしゅうございますね」

嘉助が両手で茶碗を包み込むようにしていい、そのついでのように、今朝、お辰の家で弥吉をみた話をした。

「あいつ、そういう器用な真似もするのか」

男同士は呑み込みも早くて、

「そればっかりは、うちの女共にはいえないな。お吉の奴ががっかりするだろう」

嘉助も苦笑した。

「お辰さんも、まだ四十前でございます。家を出て、気がゆるんだ所へつけこまれたのかも知れません」

「案外、女が水をむけたのかもな」

「遊びなら、よろしゅうございますがね」

「弥吉という奴、そう悪《わる》とはみえないが」

「長助親分が来たら、ちょいと話をしてみましょう。男と女のことは厄介になりがちでございますから……」

るいの足音がして、慌てて嘉助は茶碗をもって出て行った。

そんなことがあってから、嘉助はさりげなく、お辰の隠居所に目をつけていたが、弥吉の姿はあの日以来、みかけない。

東吾のほうは、弥吉よりも、狸穴で聞いた贋物の話が気になっていた。

まめな小間物屋と若隠居の色事なんぞはぞっとしない。

八丁堀の道場の稽古日に、夕方やって来た麻太郎を他の少年達と一緒に面打ちの稽古をしてやって、終ってから送りがてらに兄の屋敷へ寄った。

今月、南町奉行所は月番ではないので、兄の帰宅はいくらか早めであった。

通之進は居間にいて、麻太郎が、

「父上、お帰りなさいませ。只今、戻りました」

と挨拶して、待っていた香苗と一緒に奥へ行くのを見送ってから、弟を眺めた。

「先日は雪の後始末に来てくれたそうだな。厄介をかけてすまなかった」

兄に会釈をされて、東吾は手を上げた。

「いや、植木屋に指図をしただけです。義姉上には、その折、土産を頂きました」

あの酒は、やはり、加賀藩からの残献ですかと聞いた。

残献というのは、諸大名が国産の品々を将軍家に献上する際、その残りものという名目で町奉行所へ贈られるもので、大名家の江戸詰めの者達が万一、江戸の町において不祥事を起した際、何分よろしくといった儀礼的な意味合いがある。

「いや、あれは播州の酒であろうよ」

この季節は国々の新酒が江戸へ運ばれて来るのだと通之進は笑った。

「松浦先生にはお変りはなかったか」

「相変らずの御壮健ぶりでした」

話のついでに、例の西行の贋作について報告した。

通之進は面白そうに聞いていたが、

「贋作とは、誰が鑑定したのか」

という。

「それがお粗末な話で、先生がおっしゃるには、書かれている歌が、西行の作ではなかったとのことで……」

通之進が笑い出した。

「それでは、話にもならぬ」

「贈られた側が愚弄するなと腹を立てるのが当り前ですな」

「東吾も気をつけるがよい。山家集なら手許にある故、持って行って読むか」

「いや、なにかあれば、兄上に訊きに参ります」

早々に、東吾は兄の屋敷を逃げ出した。

それから二日後、東吾は講武所を出たところで、ばったり畝源三郎と飯倉の仙五郎に出会った。

「珍しいじゃないか、飯倉に何かあったのか」

東吾に声をかけられて、仙五郎は嬉しそうにお辞儀をしたが、如何にもくたびれた様子であった。

「東吾さん、午飯がまだならつき合いませんか」

源三郎がいい出して、三人で近くの鰻屋へ寄った。

「東吾さんは方月館で青山という御仁にお会いになったそうですね」

鰻の焼ける間に、源三郎がそっと話し出し、東吾は驚いた。

「仙五郎の探索は例の一件なのか」

旗本の隠居が、西行の贋作をつかまされた事件であった。

「探索といいましても、手がかりはなんにもなし、おまけに西行さんの軸ってのは、そいつが売りたくねえってのを、無理矢理、旗本の隠居さんが取り上げたってことでして、そいつをつかまえても牢にぶち込むわけにも参りませんので……」

ただ、青山家のほうから、なんとかそいつをみつけて金を取り返すことは出来ないかと方月館へ言って来たので、一応、仙五郎が畝源三郎に相談する形で出て来たのだといった。

「松浦先生も、隠居に、それは無理だとはっきりおっしゃったそうですが、善助さんから話を聞いてみますと、まあ、知らん顔も出来ませんで……」

人のいい岡っ引は当惑した顔をしている。

「いったい、どういう奴から買ったんだ」

「そいつが……青山様がおっしゃるには、屋敷に時折、出入りをしている貸本屋だそうなんで……」

あっけにとられた東吾に源三郎が話をひき取った。

「青山様の御隠居は、読本の類がお好きなのだそうでして、まあ、左様な書物は買うまでもないと、もっぱら出入りの貸本屋を贔屓《ひいき》になさっていたそうです。そいつがなかなか小才のきいた男で、さまざまの町家や青山様のような武家の屋敷にも出入りしていまして、世間話の折に御隠居が書画骨董の話をしたことから、さる旧家で先祖伝来の家宝にしている西行の掛けものがあるということになって、御隠居が是非見たい、では、借りて来ましょうと、まあ、そういった具合で青山様へ持ち込まれたのだというのです」

東吾が眼許を笑わせた。

「その貸本屋は、その後、どうした」

「信吉と申したそうですが、青山様から金を受け取って以来、あの界隈にはふっつり姿を現さぬそうです」

無論、貸本屋の素性も、住んでいる場所もわからない。

「敵ながら天晴れといいてえ手口だな」

鰻が運ばれて、早速、箸を取りながら東吾が感心し、仙五郎が情なさそうにいった。

「やっぱり、詐欺師なんで……」

源三郎が山椒をやけのようにふりかけながら断定した。

「相当に修業を積んでいる奴ですよ」

とにかく、青山家の場合、あくまでも隠居が強引に買い取ったのであって、貸本屋は最後まで先方は売る気はないの一点ばりだった。

「人間というのは面白いもので、相手が売りたくないといえばいうほど、なんとか売ってもらいたい、売らせようと持ちかける。仮にその信吉という男をつかまえても、自分は売りたくねえという先方の意向を何度も伝えた。売るつもりはないのに、金を押しつけられて取り上げられたので、贋作といわれても自分には全くわからねえといわれたひには、我々にしても、どうしようもありません」

青山家は気の毒だが、

「大体、その西行の軸って奴を入手しようとした動機がよろしくありません。青山家にしても表沙汰には出来ないでしょう」

と源三郎はいう。

鰻飯で腹がふくれたところで、仙五郎は飯倉へ帰り、東吾は源三郎とお堀端沿いを歩いた。

「手前は、どうもわからぬのですが、西行法師の自筆の掛け軸なんぞというのは、それほど値打のあるものなのですか」

源三郎にいわれて、東吾も笑った。

「俺達のような不粋者には縁がないがな、さっき、源さんのいった通り、欲しいとなれば何百両でも欲しい。要らぬとなったら、ただの紙屑ではないのか」

「それは、いささか乱暴ですな。西行法師が気の毒ですよ」

奉行所へ帰る源三郎と別れて大川端の「かわせみ」の暖簾《のれん》をくぐると、帳場の脇に長助とお辰と、もう一人、若い男が苦り切ってすわり込んでいる。

入って来た東吾を出迎えた嘉助が、

「えらいことになりました。お辰さんが弥吉に大金を欺しとられたということで……」

お辰が顔を上げた。

「そうじゃございません。弥吉つぁんが欺したのではなく、あたしがお金を出してこの短冊を買ったのです。何度いったらわかってもらえるのですか」

続いて、若い男がお辰を制した。

「おっ母さんこそ、何度いったらわかるんですか。こんな贋物に大枚百両も取られるなんて……」

「お前が千種屋の清兵衛か」

東吾が帳場へ上り、お吉がいそいで座布団を取って来た。

車座になっている清兵衛、お辰、長助、そして東吾の、ちょうど真ん中に一枚の短冊と、それが入っていたらしい古めかしい塗箱がおいてある。

東吾が短冊を取り上げてみると、なかなか見事な筆跡で、

君がため　みたらし河を若水に　結ぶや　千代の始めなるらむ
西行

と書いてある。

「驚いたな。またしても西行法師か」

東吾が呟き、千種屋清兵衛が膝を進めた。

「とんでもないことでございます。これは西行ではございません。源俊頼というお方の歌だそうで……」

「なに……」

「間違いございません。これを門前仲町の骨董商、吉野屋さんの旦那におみせ致しましたところ、間違いなく源俊頼の歌だと……」

長助が、ぼんのくぼに手をやりながら、つけ加えた。

「実はあっしも清兵衛旦那と一緒に吉野屋の旦那の講釈を聞いたんですが、なんでも大変にめでてえ歌で、よく正月の掛物になんぞ書かれるんだそうです」

東吾が破顔した。

「西行さんじゃないのか」

お辰が悴を横目にみていった。

「源俊頼って人の歌を、西行さんが書いたんじゃないのかねえ」

「いい加減にして下さい」

清兵衛が生さぬ仲の母親をどなりつけた。

「吉野屋の旦那がおっしゃいましたよ。この短冊は古めかしいようにとりつくろってあるが、そんなに古いものじゃない。何百年も昔の紙や墨の色は、こんなものとは全く違うし、筆跡にしても、とても西行さんとは思えないそうですよ」

「いいじゃないか、あたしが気に入って、弥吉つぁんからゆずってもらったんだもの。縁起のいい歌らしいから、床の間にでも飾っておきますよ」

「おっ母さんは、百両、欺し取られて、まだ、そんなことを……」

まあまあと長助が二人を分けた。

「とにかく、弥吉が来たら、よく話をきいて……」

「来るわけがありませんよ。おっ母さん、そうなんでしょう。弥吉は金を持って行ってから、一度も来ていないそうじゃありませんか」

お辰が情なさそうに頭を垂れ、それからおもむろに袖口を目にあてた。

「あの弥吉つぁんが、そんな詐欺みたいなことをやりますかね。なにかの間違いじゃないんですか」

千種屋母子を長助がつれて帰ってから、お吉がしきりにぼやいたが、東吾はひょっとすると、小間物屋の弥吉は、狸穴の方月館へ来ていた青山という旗本の隠居が欺された、貸本屋の信吉と同じ男ではないかと考えていた。

「それにしても変な奴だな。なんで源俊頼の歌に西行なんて名前を書いたんだ」

吉野屋の主人の話だと、源俊頼というのも有名な歌人らしい。

「そりゃあ、やっぱり西行さんのほうが値打があるんじゃありませんか。源俊頼なんていったって、あたしらにはどなたさんですかってもんですけど、西行さんっていえば、名の知れた歌よみだってわかりますから……」

お吉が鼻をうごめかしたが、

「そんなことは、もうどうでもいいけど、素性も知らない人に針のメドに糸を通させたり、障子の切り張りをしてもらうのだけはもうやめておくれ」

と、るいに叱られて、がっかりした顔で台所へ去った。

「それにしても、お辰はなんで弥吉から、あんな短冊を買ったのかな」

東吾が一人言をいい、千春に姉さま人形を作っていたるいが小さく笑い声を立てた。

「きまっているじゃありませんか、いつだったか雪の日に、嘉助があなたにいいつけていたでしょう。お辰さんと弥吉がいい仲だってこと……」

「なんだ、聞こえてたのか」

「お二人さんの声は内緒話には向かないみたいですからね」

「つまりは、そういう仲になったから、お辰は短冊を買わされたってことか」

「女は惚れた人の喜ぶ顔をみるためには、なんでもするっていいますもの」

「それにしたって、百両はべらぼうだぜ」

弥吉という男は、人の色と欲を巧みに利用して荒稼ぎをしているのかと、東吾は忌々しい顔で腕を組んだ。

小間物屋の弥吉は以来、大川端には姿をみせず、お辰は何を考えたのか柳橋の近くに引越して、清元指南の看板を上げた。

そして、この話には後日談がある。

この年の秋のなかば、東吾は畝源三郎の捕物の手伝いをして雑司ヶ谷まで出かけた。

事件が片付いての帰り、一足先に出た東吾は鬼子母神を出た所で源三郎を待っていた。

その目の前を行商風の男が通って行く。

「おい」

思わず東吾が声をかけ、男が立ち止った。

「弥吉って呼んだほうがいいのか。それとも今井町あたりじゃ、信吉か」

男が走り出そうとして、東吾がどなった。

「動くな。動くとぶった斬るぞ」

蒼白になったのを眺めていった。

「心配するな。ちょいと訊きたいことがあっただけだ」

なんで、源俊頼の歌に、西行と名を書いたのか、と東吾にいわれて、男は不思議そうな顔になった。

「ありゃあ、西行さんの歌じゃねえんで……」

「西行の歌だと思ったのか」

「親父が手入れを頼まれた掛け軸に、ああ書いてあったんでさ」

「お前、表具師の悴か」

東吾が一歩近づくと、男は一歩逃げた。

「ちょいとうかがいますが、あいつは西行さんの歌じゃねえんで……」

「詐欺を働くんなら、本物の西行の歌ぐらいおぼえておけ」

「そいつが……」

男が小鬢に手をやった。

「あっしの知っているのは、あれ一つきりなもんでして……」

「毎度、君がため、とやって西行か」

「てっきり、西行さんの歌だとばっかり思ってましたんで……」

「それじゃ、今もやってるのか。君がため、みたらし河を若水に……」

おーいと源三郎の呼ぶ声がした。思わずふりむいて、東吾が手を上げる。

その一瞬に、男が逃げた。

「おい、待て」

と呼んだが、韋駄天走りに稲田のふちを、あっという間に見えなくなった。

「今の男、どうかしたんですか」

畝源三郎が近づいて来て訊いた。

苦い顔をして突っ立っている東吾の頭上で百舌《もず》が鳴いている。

宝船《たからぶね》まつり

一

毎年、正月なかばに商用で江戸へ出て来る小田原の薬種問屋の主人、ういろう屋三左衛門は、今年も一月十三日の夕方に大川端の旅籠「かわせみ」へ草鞋《わらじ》を脱いだが、お供の手代の他にもう一人、連《つ》れがあった。

「こちらは、小田原在の大百姓で、名主をつとめる岡村文治郎さんの倅《せがれ》の嫁で、おきのさんとおっしゃるんだが、もともと生まれは江戸でね。今年は父御の七回忌に当るそうで、墓参に戻って来なすったんだ。文治郎さんから頼まれて、道中一緒に来たのだが、なんとかお宿を頼みますよ」

三左衛門の紹介に、おきのと呼ばれた女は丁寧に挨拶した。歯切れのよい江戸言葉である。嘉助がみたところ、まだ三十には間があるだろうと思える年頃だが、着ているものも髪飾りも地味で、化粧もろくにしていない。

それでもしっとりとした、なかなかの器量よしであった。

ひとしきり正月の賑《にぎわ》いが終ったあとであり、この季節、そう客が多くもなくて、幸いに、いつも三左衛門が泊る楓《かえで》の間の向いの部屋があいていたので、嘉助はその旨を女中頭のお吉に伝え、お吉は女中を呼んで手早く部屋の用意をさせた。

客がすすぎを終えたところへ、るいが挨拶に出て、三左衛門と少々世間話をしている中に、女中が戻って来て、早速、お吉が案内に立った。

たまたま、軍艦操練所から神林東吾が帰って来たので、るいはそのまま、夫を出迎えて奥に入ったのだったが、やがてお吉が居間へやって来て、

「ういろう屋さんのお連れは、亀戸村の名主さんの娘さんだったそうですよ。小田原へ嫁にいらして、もう十年近くにもなるとかで、お江戸が随分変ったと驚いておいででした」

という。

「亀戸の名主の娘が小田原へ嫁入りしたのか」

いつものことで東吾が話の相手になり、お吉は安心して腰を据えた。

「なんですか、おきのさんのおばあさんが小田原の名主さんから亀戸へ嫁に来たんだとかで、おきのさんの嫁ぎなさった家は、遠い親類に当るんですと。なにしろ、おきのさんが生まれてまもなく、今の御主人とさきざき夫婦にするって約束が親御さん同士で決

めてあったという話です」

「赤ん坊の時からの許嫁《いいなずけ》か。世の中には、俺達よりも気の早い夫婦がいたものだ」

東吾が笑い、お吉が真面目に応じた。

「いいえ、おきのさんが気が早かったんじゃございませんで、親御さんがせっかちだったんで……」

「あんまり早々決めるのも考えもんだぞ、子供の時はぽちゃぽちゃして可愛かったのが、年頃になったら女相撲でもやらかしそうな大女に育っちまったりしてさ」

お吉がきょとんとしたので、東吾は矛先を変えた。

「その小田原へ嫁入りした女だが、うちへ泊るのか」

「左様でございます」

「亀戸の実家はどうしたんだ」

「もう、ございませんそうで……」

「ない……」

「親御さんはお二人とも歿《なくな》って……」

「一人娘か」

「そのようで……」

「一人娘が嫁に行ったのか」

「二人いらっしゃる坊やさんの、下のほうのお方が大きくなったら、御実家を再興なさるようですよ」

「成程、そういう手があるか」

女中がお吉を呼びに来て、まだ話し足りなさそうな女中頭は不承不承立って行った。

「あれは、一つの才能って奴だな」

るいのいれた茶を一口飲んで東吾が笑った。

「お吉のことだよ」

客を部屋に案内して、座布団を勧めたり、茶菓子を出したりと、僅かな間にその客の素性だの身の上話だのをざっと聞き出してしまう。

「あいつ、宿屋の女中頭には打ってつけなんだな」

「あなたはお吉に甘いから……」

乱れ箱を片付けながら、るいがほんの少し眉を寄せた。

「ただのお喋り好きってことじゃありませんかしら」

「そういっちゃあ身も蓋もない。詮索好きは八丁堀育ちの癖みたいなものだろうが……」

そのお吉が大きな足音を立ててやって来た。

「長助親分が蕎麦粉を届けに来ましたんですけれど、たしか、若先生が御用がおありだとかおっしゃってましたでしょう」

東吾が立ち上った。

「そいつはよかった、明日にでも深川まで行こうかと思っていたんだ」

るいが心得て、茶簞笥のひき出しから紙袋を出し、東吾はそれを受け取って、自分で台所へ行った。

長助は上りかまちに腰を下して、板前と話をしていたが、東吾をみると嬉しそうに立って腰をかがめた。

「お帰りになってお出でだったんで……」

「軍艦操練所の用事で横浜まで行っていたんだ。阿蘭陀《おらんだ》さんの菓子だとかいうのが、けっこう旨かったんで買って来た。孫達にやってくれ」

正月早々、東吾は練習艦に乗っていた。戻って来たのは昨日のことで、横浜土産はその時のものである。

「申しわけございません。うちの餓鬼にまでこんなにして頂きまして……」

押し頂いて懐中におさめてから、別に訊いた。

「お吉さんの話ですと、亀戸の名主の娘で小田原へ嫁に行ったのが泊っているとか……」

「長助は知っているのか」

「いえ、亀戸辺は深川といってもはずれでございまして、あんまりくわしいことは存じません」

ですが、明日は亀戸村まで出かけるのでといった。

「亀戸村の道祖神祭ですが、あの辺では宝船祭と呼んで居ります。祭と申しましても、小さなもので、人出が多くて喧嘩がおっぱじまるといったふうではございません。ただ、子供の祭で、亀戸村だの柳島村だの、界隈の村々からちっこいのがやって来まして、迷子になったり、時には子さらいなんてこともあったようで、お上のほうから用心に出向くようお指図がございました」

「子供の祭か」

「へえ、宝船をかつぎまして、子供が歌の文句みてえなのを囃《はや》しながら練り歩きますのが、けっこう面白うございます」

「明日は休みなんだ。久しぶりに花世でも連れて行ってやるか」

思わず東吾がいったのは、練習艦に乗っている留守中に、花世が「かわせみ」へ遊びに来て、東吾がいないのでがっかりして帰ったとるいに聞かされていたからである。

で、居間へ戻って来て、るいにその話をすると、

「でしたら、畝様のところの源太郎さんも連れて行ってさし上げては……この前、お千絵様がおみえになって、あなたが八丁堀の道場のお稽古をお休みなさったので、源太郎さんが軍艦からはいつお帰りになるのだろうと何度もお訊きになっていたそうですから……」

と水を向けた。

「驚いたな。たまの休みに他人の家の子守か」

口ではいったものの、子供好きの東吾のことで、我が家の娘がもう少し大きければ、背中にしょってでも連れて行きたい所であった。

「千春には、まだお祭はわかりませんから……」

亭主の胸中を知っていて、姉さん女房はやんわりと釘をさした。

東吾が子供達をつれて亀戸村の祭見物に行くと知ると、長助は、

「どんなにお喜びなさいましょう。これから畝の旦那のお屋敷と、本所の麻生様へお寄り申して、その旨をお伝えしておきましょう」

いそいそと帰って行った。

二

翌日は朝から上天気であった。

風もなく、穏やかな祭日和で東吾が身支度をしている最中に、

「畝の旦那が、源太郎さんをお伴《ともな》いになりました」

笑顔で嘉助が取り次いで来た。

「随分と早いじゃないか」

すっかり子供の頃に戻ったような東吾が帳場へ出て行くと、絣《かすり》の着物に袴をつけ、薄く綿の入った羽織を着せられた源太郎が上気した顔で立っている。

「長助が知らせに来てくれまして、源太郎は昨夜、嬉しくてなかなか寝つかれなかった

ようですよ」

何分よろしくお願いします、と、畝源三郎は父親の顔で挨拶した。

「俺も昨夜は寝そびれたよ」

「東吾さんはお祭好きですからね」

これから奉行所へ出仕するという源三郎を見送って、東吾が源太郎に訊ねた。

「朝餉《あさげ》はすませたのか」

「母上が、きちんと御膳を頂かないと、出してやらぬとおっしゃるので……」

その光景が目に浮ぶようで、嘉助も、千春を連れて出て来ていたるいも微笑した。

「お気をつけて行ってらっしゃいまし。買い食いはなさいませんように……」

お吉が出て来て、風呂敷包を東吾に渡したのは、どうやら三人分の弁当が入っているらしい。

「あまり遅くならない中《うち》にお帰り下さいましね」

るいに念を押されて、東吾は苦笑した。

「俺だって、そのくらいのことはわきまえているさ」

行くか、と声をかけると、源太郎は仔犬のように「かわせみ」の暖簾《のれん》の下をとび出して行く。

「待て、走ることはない。祭は逃げやしないぞ」

追って行く東吾の声もはずんでいて「かわせみ」の留守番組は、可笑しそうに顔を見合せた。

本所、小名木川沿いの麻生家へ行くと、こちらも、花世が大はしゃぎであった。

「昨夜は寝言にまで、とうたまだの、まんじゅうだのといったそうですよ。大方、東吾さんと饅頭でも食っている夢をみたのではありませんか」

麻生宗太郎が玄関まで出て来ていった。

花世は友禅の着物に、やはり綿の入った朱色の被布《ひふ》を着て、髪には梅の花かんざしを挿し、少しばかりすまし込んでいる。

そんな花世をみて、源太郎は赤くなって下をむいたが、花世のほうは一向に気にもしないで、

「とうたま、早く参りましょう」

東吾の手をひっぱって、今にもかけ出しそうである。

「夕暮れて寒くならぬ中に送って来るからな」

いささか、照れくさそうにいって、東吾は二人の子供と小名木川沿いの道を歩き出した。

昨日、帰りがけに長助が、

「なんでしたら、屋根舟の用意をさせておきますが……」

といったが、

「往きは歩かせて行くよ。帰りは頼んだほうがいいかも知れない」

と返事をしておいた。

小名木川沿いの道は陽がさしていて、源太郎はともかく、花世は兎のようにぴょんぴょんとびはねている。

本所深川は新開地で東西南北に水路が走り、道もほぼ碁盤の目のようになっていてどこから行っても目的地へたどりつけそうだが、実際には橋の架っている所が限られていて、うっかりすると廻り道になる。

東吾は昨日、長助に教えられた通り、新高橋の所で横川沿いに北へ行き、竪川にぶつかってから、川の南岸を四ツ目橋まで上って、そこで橋を渡った。

四ツ目通りを柳島あたりへ入ると、もう子供達が走り廻って居り、笛や太鼓の音が賑やかであった。

亀戸天神へ向けて横十間川に架る天神橋を渡った所で祭の行列に出会った。

菱垣船《ひがきぶね》を小さくしたようなのに、五彩の幣帛《みてぐら》を立て、松竹梅を飾りつけたまん中に宝船と染め抜いた幟《のぼり》がまるで帆のようにみえる。

その宝船をかついでいるのは十四、五の子供二人で、その周辺に天狗や狐の面をかぶったのが五、六人、更に小さい子供は祭の手拭で鉢巻きをし、声を揃えて、

「千艘《ぞう》や万艘、お船が参った。銭でも米でもどんといっぱい、おっつめろ、歳《さい》の神を祝おう」

と節《ふし》をつけて囃し立てながら練って行く。

たしかに、長助がいったように、鄙《ひな》びた在所風の祭だが、それがかえって趣があった。

源太郎も花世も、夢中になって宝船の行列と一緒にとび歩いている。

二人の子供から目を離さず、東吾は行列についていった。

祭の宰領をしている男達に訊いてみると、この宝船は亀戸村の香取神社が何艘も持っていて、一艘ずつに各村々の名が書かれているらしい。

つまり、村祭の神輿が、ここでは宝船の造《つく》りものなのであった。

香取神社は経津主命《ふつぬしのみこと》が祭神で、武勇の神だが、海の守護神でもある。

日頃、軍艦に乗っている東吾にしてみればまんざら、無縁の神でもなかった。

行列は亀戸村を廻って香取神社の境内へ入って行く。

そこは亀戸村の梅屋敷の隣で、附近は金龍寺を中心に寺ばかりであった。

もう中川のほとりで、長助が江戸といっても、あそこあたりははずれで、というのが当り前、見渡す限り田や畑が続いている。

境内の茶店で一休みしていると、長助がやって来た。

「弁当をおつかいなさるなら、堤の上のほうが気持がようございましょう」

自分は茶店で土瓶と茶碗を借り、東吾の提《さ》げていた風呂敷包を若い衆に持たせて村道へ出た。

中川の堤は、春のようであった。

草が茂り、日だまりには梅がほころびている。

見晴らしのよい所へ東吾が子供二人と座を占めて、弁当の包を開いた。稲荷鮨だの、焼きむすびだの、煮しめに子供の好きそうな栗きんとんまで添えてある。

「長助も食えよ。こんなにあるんだ」

東吾が勧め、長助と若い衆は握り飯を二つばかりつまんだが、

「お役目で来て居りますんで……」

もう半刻もすると、村々を廻っている宝船が香取神社に集まるから、と一足先に戻って行った。

中川の眺望は、なかなかのものであった。

「むこうに、小さく黒い屋根のようなのがみえるだろう。あそこは中川の舟番所といってね、花世の屋敷の脇を流れている小名木川はあの所でこの大きな中川に流れ込むんだ。中川の川口は海になる。海から江戸へ入って来る舟は、中川の舟番所で積荷をあらためるようになっているんだ。お上が禁じている鉄砲なんぞが、むやみに江戸へ運び込まれないよう、番をしているわけだよ」

源太郎が訊いた。

「鉄砲が運び込まれると、戦になるからですか」

「それもある。第一、盗っ人なんぞが飛び道具を持って商家を襲ったら、えらいことになるだろう」

「わたしの父上は、そういう盗っ人とも戦うことになりますね」

「そうだ。だから、そうした危い目に遭わないためにも、あの御番所はしっかり見張りをしなければいけない」

「はなは……」

両手を握りしめて、花世が叫んだ。

「大きくなったら、あの御番所で見張りをします。悪者は決して通しません」

源太郎が東吾を仰いで、可笑しそうにいった。

「先生、女は番人になれませんね」

東吾が返事をする前に、花世が胸を張った。

「女でもなれます。お目々があるのですもの」

「でも、悪者が力ずくで番所を突破しようとしたら、女では無理です」

「はなは剣術のお稽古もしています。そうして、今に鉄砲も習います」

源太郎が唖然とした。

「鉄砲……」

「そうです。悪い奴はみんな、はなが鉄砲でやっつけてやります」

遂に東吾は笑い出した。

「そりゃあいい。鉄砲の名人になれば、女でも番人がつとまるかも知れないな」

「女に、鉄砲の稽古なぞ、出来ますか」

「その気になれば、出来ないことはないだろう」

横浜で聞いたことだが、と、東吾は二人の子供に平等な視線を向けた。

「阿蘭陀や英吉利《いぎりす》の女は、ぴすとろという小さな鉄砲の稽古をするそうだ。無論、戦うためというよりも、自分の身を守るためだがね。けれども、敵が自分の家族に襲いかかって来た時は、女といえども戦うだろう」

いくらか不満そうに源太郎がいった。

「でも、わたしは父上や先生がそうなさっているように、男が女を守るのがよいと思います」

「それはそうだ。男は常に女を守らねばいけない。しかし、男が大勢の敵を相手に戦っている時、女だって、男の役に立ちたいと思うだろう。そういう場合は、女も戦うんだ」

花世が源太郎を見上げた。

「はなは、源太郎さんが負けそうになったら、一緒に戦ってあげます」

源太郎がへどもどした。

「それはどうも……、でも、わたしはなるべく負けないように致します」

遠く祭の喚声が聞えて、東吾は二人の子供に結着をつけた。

「その話はそこまでだ。さあ、祭をみに行こう」

堤の上を、このあたりの飼犬らしいのが走って行き、源太郎と花世が続いた。東吾は苦笑して弁当がらをかき集め、茶店から借りた土瓶と茶碗を持って堤を下りて行った。

三

花世と源太郎を、各々の屋敷へ送り届け、東吾が大川端の「かわせみ」へ帰って来て間もなく、畝源三郎が顔を出した。

「源太郎が大層、御厄介になり……」

と礼をいってから、

「東吾さんは、香取神社の境内で、三人子供を連れた若い母親と婆さんをみかけませんでしたか」

と訊いた。

「さてと……、今日の祭見物は女子供が多かったからな」

実際、子供の祭ということもあって、境内には子供があふれて居り、子連れの親や年寄も珍しくはなかった。

「では、花色木綿の半天にくるまったよちよち歩きぐらいの子供が、拝殿の廻廊のところに寝かされていたのは見ていませんか」

男の子だといった。

「残念ながら、俺の目には入っていないよ」

なにかあったのか、と訊かれて源三郎は憂鬱そうに答えた。

「どうも、さらわれたようなのです」

柳島村の百姓、甚兵衛の一番下の倅で与吉というのが、二人の兄と母親と祖母と祭見物に来ていて、

「最初に上の五つになるのが、母親と祭の菓子をもらいに社務所のほうへ行ったと申すのです」

人が混雑しているので、三つになるのと、一番下の昨年の今頃に生まれた末っ子を祖母がみていた。

「婆さんが取り乱していて、しっかりしたことがわからないのですが、どうも、三つの子が母親のほうへ行きたがって泣き出したので、婆さんは眠っていた末っ子を廻廊のところへ寝かせて、自分の半天を着せかけ、まん中の子を伴って社務所へ行った。ところが東吾さんもごらんになったかも知れませんが、巫女さんが菓子をくばる時は子供達が群がって、節分の豆まき以上のさわぎだったようで、婆さんと三つの子ではなかなか傍へ近よれない。下手をすると怪我をすると、結局、婆さんはあきらめて拝殿のほうへ戻って来たわけです」

「ちびがみえなくなっていたんだな」

「そうです。ただ、婆さんは嫁が……つまり、子供達の母親が戻って来て連れて行ったと思い込んだんですな。あまり心配もしないで、三つの子をつれて茶店で団子を買ったり、同じ村の連中と話をしたりして祭見物をし、くたびれ果てて家へ帰ったら、嫁から、与吉はどうしたのかと訊かれて仰天したんです」

家中が香取神社へ行ったが、まだ、その時点では、近所の者が親切に抱いて帰ってくれたのではないかなぞと考えていたらしい。

「なにしろ、あのあたりはのんびりした土地柄でして、日頃から畑のへりに赤ん坊を寝かせておいても、どうということはない。それでも、むかしむかし、子さらいがあったのを思い出す者がいて、漸《ようや》く、もしやという話になったのです」

知らせを聞いて長助達が走り廻ったが、今のところ、与吉の行方は知れない。

「一人で歩けるほどの年齢ではありませんから、必ず、誰かが抱いて行ったに違いないのですが、みた者もないのです」

親は小作人で、いわゆる水呑百姓だから、子供をかどわかしておいて、金をゆするというのではなかろうと源三郎はいった。

「ただ、かわいかったから連れて行ったというのなら、まわりが気づいて返しにくるかも知れませんが、子さらいですと……」

「しかし、まだろくに歩けもしない赤ん坊なんだろう。そんなのをさらって行ったって困ると思うが……」

「以前、横浜の異人が子供の生肝を集めているというので、子供がかどわかされた例もありますので……」

どうも、こういう事件は気が重いと、源三郎はそそくさと帰った。

「田舎の人だから、うっかりしたんですかねえ。そのあたりにいた人にでも、声をかけて行けばよかったのに……」

一緒になって源三郎の話を聞いていたお吉が慨嘆した。

「まさか、祭で孫がさらわれるとは思っていなかっただろうに……その婆さん、気の毒に、生きた心地もしないだろう」

嘉助が眉をしかめ、るいも東吾も、我が子の顔を眺めて他人事ではない気持であった。さらわれた子は、年頃からいえば千春ぐらいなのである。

落ちつかない気分の一夜があけて、朝餉の時にお吉がいった。

「小田原からおみえのおきのさんですけど、昨日、御親類にでも泊られたみたいですね」

昨日、夜になってもおきのが帰って来ないので、商用から戻ったういろう屋三左衛門に訊いてみると、

「今日は菩提寺で親御さんの法要をしてもらうといってなさったから、おそらく江戸の親類の人も集ったただろうし、そちらへ泊りなすったのだろう」

といわれた。

「それなら出かける時にそういっといて下さればいいのに、こっちは夕方から部屋を温めたり、晩餉の御膳の用意までして、とんだ骨折り損ですよ」

在所の人は、これだから困るとお吉は腹を立てている。

「最初から親類へ泊るつもりではなかったのかも知れませんよ。是非、うちへ来て泊れ

と勧められて断りにくかったってこともあるじゃないの」

小田原の名主の家へ嫁入りして、あまり旅に出たこともないような女の人だから、万事、勝手がわからないのだろうと、るいはお吉をなだめた。

いつも通りの「かわせみ」の一日が過ぎて、三左衛門は手代と一緒に帰って来たが、おきのは戻って来ない。

「よもや、大きななりをして、迷子ってことはありますまいね」

お吉も嘉助も心配したが、三左衛門は取引先にもてなされて、かなり酔っていたせいか、

「いやいや、在所の者はのんきでね。おきのさんは江戸育ちだから、迷子になる筈もなし、知り合いだの、昔の友達だのなつかしがって、なかなか帰さないのでしょうよ」

十年ぶりの江戸であれば、買い物もあるだろうし、誘われて芝居見物ということもある、といわれて、止むなく納得した。

連れて来た当人が心配ないといっている以上、さわぎ立てるわけにも行かない。

翌日は藪入りであった。

商家に奉公する者は朝から一日休みがもらえる。

「かわせみ」でも、嘉助とお吉以外は朝の用事が済むと夕方まで暇をやることにしているので、揃って浅草あたりへ遊びに出かけたようである。

東吾は藪入りというわけに行かないので、講武所の稽古をつけに出かけて、帰り道、

八丁堀の脇を通ると、長助に出会った。

「亀戸の赤ん坊は戻って来たか」

東吾が声をかけると、がっかりした顔で手を振った。

「今のところ、全く手がかりがございませんので……」

「横浜へ売られて、生肝を取られちゃいねえだろうな」

悪い冗談だと思いながら、つい、いった。

「どうにもこうにも、土地柄と申しますか、みんな、おっとりしてやがって、仮にも赤ん坊がつれて行かれたというのに、誰も気がつかねえんで……」

「俺も気がつかなかったよ」

「若先生は土地の者じゃございませんから、赤ん坊の顔をみたって、どこの子かおわかりになりません。あっしらも同様で……ですが、祭に来ていた連中はあの近在の者なんで、柳島村の者だけだって何十人と集っていたんです。与吉を甚兵衛どんの子と知っていた人間が、赤の他人に連れ去られるのを、おかしいともなんとも思わねえ。みんな、祭に浮かれて居やがったんで……」

「面をかぶっていた奴も多かったろう」

あの日を思い出しながら、東吾がいった。

「狐面だの、天狗だの、もし、子さらいが面をかぶって、さらって行ったら、どうなんだ」

長助が、ぼんのくぼに手をやった。

「畝の旦那もそうおっしゃったんですが、とにかく、面をつけた者が与吉を抱いて行ったってのをみた者もいませんので……」

境内にいた人々の視線が社務所で菓子をばらまいている風景のほうに集中していた間の出来事なのであった。

「一人くらい、拝殿のほうをみていた奴がいてもよさそうに思いますがね」

長助がやけくそのように舌打ちした。

「甚兵衛の家は、どうなってる……」

「婆さんが半病人で……首くくりでもしねえように気をつけろといってあります」

すでに三日であった。生きている姿でみつかる可能性は薄い。

「世の中で、人の子を盗んだり、殺したりしやがることほど、非道はねえと思います」

深川へ帰る長助と別れて「かわせみ」の敷居をまたぐと、そこに小田原の薬種問屋の主人三左衛門がいた。

「おきのさんの行方がわかりません」

泣きそうな表情で訴えた。

今、おきのの実家の菩提寺まで行って来たという。

「いくらなんでも心配になりまして……」

「寺はどこなんだ」

「亀戸天神の裏の長寿寺でございます」

おきのにとって、十年ぶりに江戸へ来たのは親の墓参と法要のためである。

道中、その話が出て、菩提寺の名を聞いていた。

「長寿寺では、たしかに、おきのさんが来て両親の供養にお経をあげたと……」

「いつのことだ」

「十四日の午《ひる》より前で……」

小田原から到着した翌日、おきのは五ツ半（午前九時頃）に「かわせみ」を出かけている。すると、まっすぐに長寿寺へ行って供養を頼み、墓参をしたことになる。

「寺を出たのは……」

「午を過ぎたあたりのことで……」

「誰と一緒だったのだ」

「それが、おきのさんはたった一人で供養をなすったそうでございます」

寺へは親類も知人も招かなかったものか。

「おきのの行った先は……」

「それが全くわかりませず……」

途方に暮れている三左衛門の様子をみて、東吾はすばやく決心した。

「とにかく、長寿寺へ行って来る」

小田原から出て来た素人の話だけでは心もとなかった。三左衛門が慌てて手代の忠助に供をするようにいいつけた。

走って永代橋を渡り切ると、橋番屋のところで長助が橋番と話し込んでいる。

「若先生……」

何事かとかけ寄って来たのに、東吾は「かわせみ」の客の件で長寿寺へ行くといった。

「そういうことでございましたら、手前もお供を……」

いつものことで、長助はすばやく近くの船宿へ声をかけ、猪牙《ちょき》の用意をさせた。

この季節、少々寒いが、一番早い。

舟の中で、東吾は長助におきのの話をした。

「おきのさんといいますのは、いくつぐらいで……」

東吾が話し終えるのを待って、長助が訊いた。

「宿帳には二十八と書いてあったな」

忠助に声をかけると、

「はい、たしかに十八の年に嫁入りして十年が過ぎたということでございましたから……」

青い顔で返事をした。

「御器量は……」

と長助。

「それは、おきれいな方でして……」

若くて美人となると、男が目をつけやすい。

「どうも、この節、ろくでもない奴らがうろうろして居りますんで……」

長助が不安そうにいい、忠助の顔色はいよいよ悪くなった。

天神橋の袂で猪牙から上り、まっしぐらに長寿寺へ行った。

長寿寺というのは、さして大きな寺ではなく、かなり老年の住職の他には小坊主が数人だけだが、墓地は広かった。

「今年はおきのさんの親御、吉兵衛さんの七回忌と、そのおつれ合いのおかねさんの十三回忌に当りますので……」

殊に父親の吉兵衛が歿った時、おきのは嫁に行って最初の子を産んだばかりで江戸まで出て来ることが出来ず、亭主と舅がとむらいに参列したという事情もあって、どうしても七回忌には墓参をしたいと思って出て来たようだと住職はいった。

「おきのの実家は名主をつとめるほどだったというが、親類なぞはないのか」

東吾の問いに、住職は頭を下げた。

「吉兵衛さんは一人っ子で、おかねさんは藤沢のほうが実家だが、そちらも兄さんが歿って、倅の代になっているので、格別、声をかけなかったとおきのさんはいうていました」

「亀戸村に知り合いは……」

「ないこともないだろうが、親御さんのどちらかが生きてお出でならともかく、小田原へ嫁入りして十年にもなるおきのさんとしては、誰に来てもらってよいか見当もつかなかったのではございますまいか」

本堂には、正面のところに位牌が三基並べてあった。

「おきのさんの実家は跡が絶えてしまって、位牌も、こうして、手前共がおあずかりしている有様でございます」

「そちらが、おきのの両親の位牌か」

「左様で。おきのさんはこの際、小田原へ持って帰りたいと話して居られたが、とりあえず十四日はこのまま置いて行かれました」

三つある位牌に、東吾は注目した。

吉兵衛とおかねと、おきのの両親の位牌だけなら二つの筈だ。

「ああ、あと一つの位牌でございますか」

住職が数珠をつまぐりながら、片手でその位牌を取り上げた。

「実は、こちらは御位牌と申しましても、生きてお出でなのか、そうでないのか、ただ、行方知れずになって十年目に、まだ御健在だった吉兵衛どのが、もはや世にないものとあきらめて、御位牌を作ってくれといわれたものでございます。それ故、行方知れずになった日を命日とし、お年もその時のままに……」

東吾が手に取った位牌は裏に吉之助享年二歳、そして歿年がちょうど二十年前の一月十四日となっている。

「おきのさんの弟でございます。今、生きていれば、二十二になっているところで……」

「おきのに弟がいたのか……」

「お気の毒なことでございました。二十年前の亀戸村の宝船祭の日に、吉兵衛さんがよちよち歩きの吉之助さんと八つになったばかりのおきのさんを連れて祭見物に行き、二人を境内において、社務所へ御神符を授かりに行って、つい、知り合いと話し込んでしまったそうで……おきのさんが吉之助が泣いているからと、父親を探しに来て、二人で戻ってみたら、どこにも吉之助さんの姿はなかったと聞いて居ります」

東吾の背後にひかえていた長助が膝を打った。

「それでございますよ、若先生、亀戸村の二十年前の子さらいの話というのは……」

今年の祭で与吉がさらわれた時、村の者が二十年前にも同じようなことがあったと長助に話したという。

住職がいった。

「八つの子供のことで、無理はございませんが、おきのさんは自分が弟の傍を離れたばかりに、吉之助さんが人さらいにさらわれたと、随分、心を痛めてお出ででした。二十年経った今でも、弟さんの夢をみると……」

なにかが、東吾の胸の中で、はじけた。

「おきのの弟が行方知れずになったのは二十年前の香取神社の宝船祭の日、その時、吉之助は二歳だったのだな」

長助が合点した。

「若先生、与吉も二歳でございます」

この長寿寺から中川へ向って行けば香取神社はすぐ近くであった。

二十年前の祭の日に、弟をそこで失ったおきのが、つらい思い出をたどって香取神社へ近づいたと考えるのは、ごく自然であった。

長寿寺を出て、東吾と長助は顔を見合せた。

「まさか、おきのさんって人が……」

仮におきのが与吉を連れ去ったとして、その後、おきのはどこへ行ったのか。

「ひょっとして、小田原ではございませんか」

叫んだのは忠助で、

「おきのさんは道中、いい続けていました。江戸へ行くのは、なつかしいがつらいと……。江戸には悲しい思い出があるからと何度も呟《つぶや》いていたのでございます。手前も旦那様も、てっきり、殁られた親御さんのことだとばかり思って居りましたが……」

ひょっとして、与吉をさらって小田原へ帰ったのではないかといった。

「俺も、そんな気がする」

なんにしても「かわせみ」へ戻ろうということになった。

「なんでしたら、あっしが畝の旦那にお許しを頂いて、今夜にでも小田原へ参ります。

もし、おきのさんが与吉を連れて行ったのなら、必ず、与吉は無事でございますから……」

長助は勇み立ったが、東吾は内心、不安であった。

二十年前、自分の過失で弟を失った後悔は、おきのの心の深いところで、長いこと血を噴《ふ》いていたに違いないと思う。そのおきのが同じ亀戸村の道祖神祭の境内で、記憶に残っている弟とほぼ同じような年頃の赤ん坊をみた。

おきのの心がまともの状態なら、それが二十年前の弟でないことぐらいわかる。第一、他人の子を抱いて行くのが、どういう結果になるのか、仮にも名主の娘であり、小田原の大百姓の嫁としてやってきたおきのに判断出来ない筈がなかった。

万一、与吉をさらったのがおきのなら、おきのは平常心を失ったとみるべきであった。

二十年前に失った弟と同じような赤ん坊をみて、その子を胸に抱きしめた時、おきのの心からあらゆる分別が砕け散ったのではなかったかと東吾は推量した。

もし、そうならば、果しておきのは無事に小田原へたどりついているのだろうか。

だが、豊海橋のところまで来ると、むこうから嘉助が走ってきた。

「若先生……おきのさんが……」

男達がひとかたまりになってとび込んだ「かわせみ」の帳場では、るいが赤ん坊をしっかり抱き、お吉が倒れている若い女の介抱をしていた。

「お前が、おきのか……」

東吾が強い声で訊き、おきのはうつろな目で東吾を仰いだ。

「あの子は違います。吉之助じゃなかった。吉之助は……あの子じゃない……」

板前が医者を伴って戻って来た。

長助は柳島村へとび、おきのの体は客間へ移された。

その夜の「かわせみ」はてんやわんやであった。

八丁堀からは畝源三郎が来、長助は柳島村から与吉の両親を連れて来た。

赤ん坊は与吉に間違いなく、ただ、みんながほっとしたのは、三日間、他人が連れて歩いていたというのに、やつれたところもなく、襁褓《むつき》も濡れていなかった。

医者の手当で、おきのはやがて死んだように眠り込んだ。

「なにかをお訊ねになるのは、明日にして下され。今夜はとてもとても……」

医者の言葉もあって、とりあえず与吉は両親が連れて帰り、東吾は晩餉はまだだったという源三郎と居間で鍋を囲んだ。

「おそらく、東吾さんのお考え通りでしょうな、おきのは与吉をみて、二十年前の弟と錯覚した。そういう心の状態は麻生宗太郎どのにでも訊いてみないとわかりませんが、一種のもの狂いのようなものでしょう」

衝動的に赤ん坊を抱いて、香取神社の境内を出て、

「この三日間、どこでどうしていたのかな」

熱い酒が咽喉《のど》を通って、東吾も漸く人心地がついた気分になった。

「弟と思って抱いて行った子が、弟でないと気がついて、おきのさんはここへ戻って来たんでしょうか」

千春を寝かせつけて来たるいが、鍋の煮え具合をみながらいった。

「何がどうだったのかは、明日、おきのが正気に戻ればわかるだろうよ。とにかく、与吉が無事でよかった」

「全くです、長助も走り廻った甲斐があったと喜んでいました」

おたがいに子を持つ親であった。

「それにしても、二十年前に行方知れずになったおきのの弟というのは、どうなったんだろうな」

長寿寺の住職がいったように、生きているのか、それともあの世へ行ってしまったのか。

それを思うと温かい筈の部屋の中を、ひんやりした風が吹き抜けるようである。

四

翌日、おきのの口からすべてが語られた。

「長寿寺を出たら、祭囃子が聞えました。弟の祥月命日でございます。香取神社まで行ってみようと思いまして……拝殿の廻廊のところで、弟をみつけたのです」

弟の吉之助があそこに、と思ったとたんに何もわからなくなったと、おきのは泣きながら訴えた。

「気がついたら、弟を背負っていました。家へ帰ろうと思った筈ですが……」

おきのの実家は、もうない。

「小田原へ帰ろうと思ったわけではないのです。ただ、品川の茶店でお粥《かゆ》を作ってもらって弟に食べさせました。古い浴衣と晒木綿《さらしもめん》をわけてもらって、襁褓も縫いました」

宿へ泊るほどの金は持っていなかったが、茶店の人が奥へ泊めてくれた。

「あとのことはよくわからないのです。弟が泣くと、そのあたりの家でお粥を作ってもらって食べさせたり、襁褓を取りかえたりしたように思いますが……」

おぶったり、抱いたりしていた子が弟でないと気がついたのは、海辺だったといった。

「砂浜があって、あたし、思い出したんです。子供の時、親と弟と一緒に中川の岸辺で遊んだことを……吉之助は岸辺を上手に歩きました。でも、あたしの連れていた子は歩けませんでした。立たせてもすぐすわってしまって……あたし、この子は吉之助じゃないと気がつきました」

それからは自分でも狂気のようだったといった。

「来た道を、あの子を背負って……大変なことをした……間違えたと、そればっかり考えて……」

東吾と一緒に聞いていたるいが、ふっと袂を目にあてた。

畝源三郎が奔走して、おきのは罪を問われなかった。

「悪い夢をみたと思うことだ。心を強く持って、弟の供養をする。あんたがしっかりしなくて、誰が両親や弟の供養をする。小田原には二人の子も待っているんだぞ」

東吾にはげまされて、おきのは新たな涙をこぼした。

三左衛門主従とおきのが小田原へ帰って、江戸は寒さがぶり返した。

春めかしくなったのは三月の声を聞いてからのことである。

冬の間、土中にもぐっていた虫が春を感じて、ぞろぞろと地上に這《は》い出て来るという啓蟄《けいちつ》の日、「かわせみ」に一人の若い侍がやって来た。

東吾は講武所に出かけている時刻で、たまたま、るいが帳場で嘉助と宿帳をみていた。

「不躾《ぶしつけ》ながら、かわせみと申す旅籠は御当家でござるか」

といった口調に東北なまりがある。

「手前は米津伊勢守様家来、磯貝秀太郎と申します。この程、殿様御用にて江戸へ出て参り、本日、亀戸の長寿寺を訪ねました。住職より、姉がこなた様に一方ならぬ御厄介をかけたことを聞かされ、お詫びやら、御礼にまかり出ました」

帳場にいたるいが、はっと腰を浮かした。

「まさか、貴方様は……」

「まことの親が、手前につけてくれました名は、吉之助でございました。住職よりそう聞かされ、手前の位牌もみて参りました」

嘉助が、おおっ、と声を上げた。

「それじゃ、二十年前に行方知れずになったおきのさんの弟さんで……」

改めて、客間へ通り、るいと嘉助を前にして、吉之助、いや、今は磯貝秀太郎として成長した若者は、しばしば声をつまらせながら身の上話をした。

「実は、昨年の暮、押しつまってから、父が病死致しました」

磯貝十兵衛という米津藩士である。

「最後に父が打ちあけてくれました。それは手前にとって夢のような話で……」

二十年前、磯貝十兵衛は米津藩の中屋敷番をしていた。江戸詰で妻の雪代と一緒であったという。

「磯貝家は代々、江戸屋敷に奉公して居り、父は母を江戸で娶《めと》ったとのことです」

夫婦の間には男の子が誕生していた。

「正月早々、その子が急死したのです」

生まれて丸一年、その正月、二歳になったばかりだったと、秀太郎はいった。

「折柄、父は国許へ役替えになりました。父は傷心の母をみて、この際、出羽国へ行くのは、むしろ、心がまぎれるのではないかと考えたそうです」

その出立の日を、明日にひかえて、

「母が赤ん坊を抱いて帰って来たと申します。父がいくら問いつめても、これは秀太郎だと……秀太郎というのは歿った子の名前です」

妻をなだめながらも、夫も亦、その赤ん坊が死んだ我が子にみえてくるのをどうしようもなかった。

「父は申しました。母がどこからか赤ん坊を盗んで来たのはわかったと……それでも、やはり、この赤ん坊は天から授かったとしか思えなかったと……」

翌日、夫婦は赤ん坊を伴って、中屋敷を出た。当時、米津藩中屋敷は小梅五之橋町、竪川の五ツ目の渡しの近くにあった。

「今日、手前もそのあたりを歩いて参りましたが、香取神社とは、つい目と鼻の先であることがわかりました」

吉之助は磯貝秀太郎となって、両親と共に出羽国村山郡長瀞の米津藩城下へ入った。

「父はその後、御用で江戸へ出た際、ひそかに亀戸村あたりを調べたとのことでした。そして、手前が、亀戸村の名主、吉兵衛の悴とわかったのです。けれども、父は手前を返す気には到底なれなかったのです。吉兵衛にはもう一人、女の子もいるし、やがては子も生まれるだろうと……。磯貝の母は病身で、二度と子を産めない体でした」

武士の家は、跡つぎがなければ絶家する。それに、すでに吉之助は磯貝秀太郎として藩へのお届けもすんでいた。

「父も母も、長年、罪の呵責《かしやく》に苦しんだようです。けれども、手前は何も知らず、優しい母と、きびしいが情の深い父を敬って成人致しました。母は三年前に、そして、昨年の暮に父があの世へ旅立ちました。どうか、自分達を許してくれ、磯貝の家を守ってくれと遺言して逝ったのです」

正直にいって、父母を怨むことは出来なかったと秀太郎はいった。

「実の親達には申しわけありませんが、それほど、手前は磯貝の父母に情愛を持っています」

三月、藩の用事で出府して、亀戸村を訪ねた。

「実の父母は、すでに墓の下でした。それを近所で聞き、寺を教えられて行きました。そこで、住職から姉の話を聞いたのです」

るいが息をつめるようにして訊いた。

「お姉様のこと、どう思われましたか」

秀太郎がるいをみつめた。

「はじめて涙が出ました。侍は泣くものではないと承知していましたが、姉が祭の日に子供をさらったことを聞きますと、姉の心が不愍《ふびん》で……ただもう、涙があふれて……」

肩から力を抜いて、るいが重ねていった。

「では、小田原へ行って下さいますね」

「参ります。上役にはなんとか理由を設け、小田原まで行こうと決心して居ります」

「お姉さまが……おきのさんが、どんなにお喜びなさるか……」

るいが涙声になり、秀太郎はうつむいた。

「手前は磯貝秀太郎として生きねばなりません。ですが、姉と会った時だけは吉之助に戻りたいと思っています」

丁寧に礼を述べて、秀太郎は「かわせみ」を出て行った。

「お嬢さん」

るいと共に店の外へ出て、秀太郎を見送った嘉助が低い声でいった。

「世の中には、こういうこともある。ありがたいと腹の底から思いましたよ」

その嘉助にうなずいて、るいは遥かな西の空を眺めた。小田原は桜が満開になっているに違いない。

神明《しんめい》ノ原《はら》の血闘《けっとう》

一

珍しく、神林東吾は酔っていた。

酒は強いほうだが、今まで泥酔するほど飲んだことがない。

一つには、兄が町奉行所の役人なので、酔っぱらって何かことを起しては、兄の迷惑になると意識しているせいでもある。

が、今夜は酒宴が長すぎた。同席した連中が揃いも揃ってかなり乱暴な飲み方をする。

そして、もてなし側は勧め上手であった。

それでも散会になった時、東吾はまだ、しっかりしていた。酔いが出て来たのは、駕籠に乗ってからである。

帰り道がまた遠い。

もてなし側はしきりに泊って行けといったが、最初から東吾にその気持はなかった。

「駄目だ、駄目だ。神林どのには大層、御器量のよい御新造が首を長くしてお待ちだからな。下手に悪止めすると、神道無念流が火花を散らすぞ」

軍艦操練所の同僚である伊勢崎辰次郎が、いささか嫌味な声でいっているのを耳にしたが、あまり気にもしなかった。辰次郎は、もう腰が立たないほど酔っている。

夜はかなり更けていた。

大川端町の「かわせみ」へたどりつくのは子《ね》の刻（午前零時）になるかも知れないと思う。

「今夜は遅くなる。先にやすんでいてくれ」

といって出たが、それでも、るいは帯も解かずに起きているに違いない。番頭の嘉助にしたところで、もう年齢《とし》なのだから、夜更しは体にこたえる筈であった。

それを思うと、東吾はつくづく遠方に招かれたことを後悔した。

なにしろ、もてなす側が強引でどうにも断れなかっただけで、出席して愉快という酒の席ではない。

駕籠はかなりの速さで道をいそいでいた。東吾が、

「すまないが、なるべく早くやってくれ」

といったからで、それでなくとも夜更けの駕籠屋は、客が許してくれる限りはとばしたい。駒込から八丁堀の先、永代橋ぎわまでだと、のんびり行っては夜があける。

駕籠の中で、東吾はうつらうつらしていた。

はっとしたのは、突然、駕籠が止ったからで、大川端に着いたにしては早すぎる。

「旦那、妙な奴らが……」

駕籠屋が声をかけた時、東吾はすでに大刀を持ったまま、駕籠の外へ出ていた。

あたりは闇ではなかった。月が頭上にあるのと、少し先の神社の石燈籠に灯が入っている。

その灯影に顔をそむけるようにして数人の男がこっちを窺っている。

深夜だというのに、彼等は提灯を持っていなかった。

東吾は大刀を腰へさし、駕籠鼻に下っていた提灯を取って、相手のほうへ突き出した。とたんに一人が無言で斬って来た。かわして、東吾も抜き合せた。

「盗賊か……」

一足前へ出ると、相手はいっせいに攻撃に出た。が、長年、畝源三郎の捕物の手助けをして来た東吾にとって、この手の賊は馴れていた。

白刃が月光に閃《ひらめ》いて、二人が地に倒れると、残りはちりぢりに逃げた。追いかけようとして東吾がふみとどまったのは、大八車がおき去りにされていて、その上に千両箱がくくりつけてあったからで、近づいて紐をほどき、持ち上げてみるとずっしりと重い。

倒れている二人へ提灯をさしつけてみると、一人は両膝を切り裂かれ、もう一人は、右腕をとばされて気を失っているが、どちらも東吾が手加減しているので致命傷ではない。

駕籠屋はとみたが、逃げてしまったのか姿がない。

石燈籠を眺めて、東吾はここが湯島天神の裏の道だと気がついた。つまり、駕籠屋は日光御成道を加賀宰相屋敷に沿って切通しへ出る途中だったわけで、たしか、この先の同朋町に番屋があったと思い、東吾は大八車をひっぱって、そっちへ急いだ。

とにかく、大金を路上に放置しておくわけには行かない。

ちょうど、番屋のほうから人が走って来るところであった。駕籠屋が知らせに行ったらしく、番太郎が御用提灯を高くあげている。で、傍まで行って、

「俺は神林東吾という者だが、この先に……」

と話し出したとたんに、むこうから凄い勢いで近づいて来た男が、

「なんだ、東吾さんでしたか」

という。

「源さんじゃないか。なんで、こんな所にいるのだ」

「それは、おたがいさまですが、手前は妻恋坂の三枝左兵衛どのの通夜に行った帰りなのです」

畝源三郎の亡父の友人で、年齢からすると天寿を全うしたようなものだが、悴が二年前に他界していて、孫はまだ若年であった。

「家督相続のことなど、いろいろと相談されまして、つい、遅くなったのですが……」

深夜に大声が聞えたので、そっちへ走って行くと、番屋の前に人の姿が動いていたからかけつけて来たのだという。

「とにかく、一緒に行ってくれ」

大八車から下した千両箱は番太郎に駕籠屋が手伝って番屋の中へ入れ、心張棒をかけさせておいて、東吾は源三郎と共に湯島天神の裏の崖下へひき返した。

「手傷は負わせたが、死んではいない、盗賊の生き証人になるだろう」

といった東吾だったが、倒れている男を提灯のあかりで調べた源三郎が、

「死んでいますよ」

という。

「胸を一突きにされています」

「なんだと……」

だが、もう一人も同じように、急所を刺されて絶命している。

「冗談じゃない、俺は突いてなんぞいない」
五、六人の敵を相手にしての斬り合いだったから、手加減といってもそれは無意識の中《うち》に働いたもので、一瞬の中に一人一人に攻撃力を失うだけの痛手を与えて行かなければならないが。
「東吾さんの太刀筋は承知しています。こっちは膝を割られていますし、そっちは腕ですな」

「そうだ。俺が斬った」

「東吾さんが大八車をひいて番屋へ行ったあとに、仲間が戻って来て、二人の口封じをしたのでしょう」

「自分の仲間をか……」

「この二人の口から、自分達の素性なり、かくれ家なりが暴露されるのをおそれたのですよ。悪事を働く連中にはよくあることです」

「それはそうだが……」

東吾は提灯をかかげて、そのあたりを窺ったが、すでに人の気配はない。

番屋へ戻って戸板を用意させ、二人の死骸を番屋へ運んで来て念入りに調べたが、どちらも三十なかばの屈強な体つきの男という他に、身許を知るような手がかりはなかった。

番太郎の知らせでかけつけて来たこの辺りの岡っ引で松五郎というのが、若い者を指図して近所をかけ廻った結果、不忍池のほとりにある福成寺という寺の様子がおかしいとわかって、開けっぱなしになっている方丈の戸口から入ってみると、住職と小坊主二人が縛られていて、傍に寺男の死体がころがっていた。

福成寺はこの冬、本堂の屋根が雪の重みで落ち、建物全体の老朽が目立ったので、大がかりな修復を行うことになり、檀家や信者から寄附を募って、漸く千両余りの金が集ったところだったという。

「手前は奥で寝て居りましたが、表の戸を叩く音で目がさめました。耳をすましていると、寺男の伍助が出て行ったようで、二言三言なにかいっているようでございましたが、戸を開ける音と、伍助の叫び声と……慌ててとび起きて廊下に出ますと、いきなり頭をなぐられまして……」

生きた心地もない中に縛り上げられた。

「金のありかはどこだと訊かれまして、この際、止むなく……」

慄《ふる》えながら訴えた。

その住職と小坊主の話をまとめてみると、盗賊は五、六人で、一人が外で見張りをし、一人が他の者を指図して金を運ばせていたらしい。

福成寺と湯島天神の裏の切通しとは僅かな距離で、時刻からいっても、東吾が出会ったのは、金を盗んで引き揚げる途中ということになる。

寺にとって幸いだったのは、東吾のおかげで盗まれた金が取り戻せたことで、檀家の者も次々とかけつけて来て、住職はやっと生気を取り戻した。

源三郎が松五郎に後始末をまかせ、細かな指示を与えるのを待って、東吾は一緒に八丁堀へ向うことにした。

駒込からの駕籠屋には酒手をやって返した。

なにしろ、間もなく夜もあけようという時刻になっている。

「えらいめに遭わせてしまいましたね」

歩き出してから、源三郎が改めて東吾をねぎらった。

「それにしても、いったい、どこへ出かけていたんですか」

「駒込の吉祥寺へ花見に誘われたんだ」

「まさか、お七に呼ばれたんじゃないでしょうな」

と源三郎が柄にもなく洒落たのは、吉祥寺は井原西鶴の五人女の中、お七吉三の物語で有名だったからだ。

「残念ながら、野暮な連中ばっかりでね。もっとも、どこから呼んだのか、芸者は何人か来ていたが……」

軍艦操練所の仲間の招きだったと東吾がいい、源三郎が苦笑した。

「それにしても、お寺の花見というのは変っていませんか」

「招いた奴の屋敷が近くらしいよ。もっとも、酒を飲んだのは、吉祥寺の傍の料理屋だったがね」

酒の席はともかく、吉祥寺の桜はきれいだったと東吾はすっかり酔いのさめた顔を撫でた。

「表門から本堂まで、長い参道の両側がずっと桜並木でね」

もともと、あのあたりは駒込の百姓地だったところへ、明暦の大火で焼けた神田の吉祥寺が替地となり、門前町が許された。

日光東照宮への御成道でもあり、けっこう賑やかに町屋が並んでいる。

「源さん、どこかでお清めに一杯やりたい気分だが……」

盗賊とはいえ、そして殺害したわけではないが、人二人を斬っている。

「残念ですが、この時刻、あいている店はありませんよ。第一、かわせみでは奥方をはじめ、嘉助もお吉も、どれほど気を揉んでいるか知れません」

日本橋川へ出たところで、四辺がしらんで来た。

源三郎は東吾がいいというのに、「かわせみ」までついて来た。

ちょうど、表のくぐりをあけて嘉助が外へ出て来たところで、

「若先生……畝の旦那……」

ほっとした声で走り寄って来る。

「帰り道、大捕物にぶつかったんだ。不忍池の福成寺に賊が入ってね」

東吾がいささか大袈裟にいい、嘉助は、

「それはそれは、御苦労なことでございました」

と頭を下げた。

戸口を入ると、もうそこにお吉が、続いて奥からるいが走り出て来る。

「東吾さんのおかげで、千両箱を取り戻しました。しかしながら、かような時刻となり、なんとも申しわけがありません」

要領よく事情を告げて、畝源三郎が帰り、東吾は嘉助とお吉をねぎらって、るいと居間へ入った。

「心配したか」

そっと声をかけると、

「存じません」

るいはちょっとおかんむりで、

「本当に盗賊にお会いになりましたの」

と疑わしそうな表情をみせた。

「嘘なものか。湯島の切通しのところで、大八車に千両箱をのせてやって来たのと、ぶつかったんだ。成り行きで賊の二人を斬ったんだぞ」

るいの目の前で大刀を抜いた。

血のりは拭いておいたが、刀身には人の脂の曇りがはっきり出ているし、柄頭《つかがしら》には血の痕が残っている。

るいが顔色を変え、東吾は慌てて刀を鞘におさめた。

「早速、手入れをしないといけないな」

「申しわけございません」

るいが小さくなってあやまった。

「畝様が湯島とおっしゃいましたでしょう。あのあたりは殿方にとって面白い場所がいくらもあると聞いて居りましたから……」

「俺が白粉臭い女なんぞ相手にするものか」

湯を浴びて来るといい、東吾は夫婦にだけ通じる合図をし、るいが恥じらった。

「もう、夜が明けますのに……」

「いいさ、明けたって……」

女は一人子を産んだ時が一番美しいと俗にいうが、実をいうと東吾は近頃のるいに、惑溺していた。

なんというのか、それまでになかった秘密の深淵にふみ込んだような情感を夫婦が分ち合っている。到底、他人が入って来る隙間などないというのが、この節の東吾の本心であった。

もう、窓の外がすっかり明るくなっている離れの部屋で、東吾はいつも以上にるいを求め、我を忘れて歓を尽した。それは、どこかに人を斬ったあとの異常な感覚と、無常観が尾をひいていたせいかも知れなかった。

二

翌日の夕方、町廻りを早めに切り上げたという源三郎が長助を伴って、「かわせみ」へ寄った。

昨夜の礼を述べたあとで、

「東吾さんが出会った賊ですが、今日、調べてみたところ、どうも、同じような手口の賊が、昨年の暮あたりから動き廻っているのです」

という。

盗みに入られたのは、商家が多いが、昨夜の福成寺のような社寺も含まれている。

共通しているのは、必ずそこにまとまった金がある日に限って押し込まれていることで、商家では売掛金が諸方から集って来た時とか、或いは支払い日を明日にひかえて、大金を用意した夜とかにねらわれている。

社寺はやはり寄附金を募っている場合が多く、殊に今年の冬は大雪が続いて、本堂や建物に被害があって修復や改築のために、信者からの奉納、喜捨を集めたところが、そっくり強奪された。

「賊の数は五、六人、必ず、一人が見張り役をつとめ、首領らしいのが仲間を指揮する。それと、どうやら、見張り役と首領の二人は同格といいますか、その二人が万事を仕切っていると思われます」

そのあたりも、福成寺の住職の話とほぼ、合致する。更に、賊に入られた家々だが、

「おおむね、本郷、湯島、小石川にかけてです」

書き出したものをみせた。

本郷から湯島、小石川界隈というのは、町屋が武家地の間に、ぽつんぽつんと固まっているところが多かった。大名屋敷も少くないし、大きな敷地を持つ寺社も目立つ。

考えようによっては、賊が行動を起すのに都合がよい地区であった。

社寺は境内が広い割合に住む人は少い。大名屋敷は塀を高くしているし、深夜は通行

する者が殆どない。

不夜城を誇る岡場所も少いところで、それも賊の動きには便利かも知れなかった。

「一応、この界隈に夜廻りをふやすことになりましたが……」

一つ、気になるのは、最初に声をかけて戸を開けさせた者を、必ず、斬殺している点であると源三郎はいった。

「賊の中に顔を見られては困る者がいるということか」

「しかし、賊は大方、面を包みかくしているものではありませんか」

「賊が声をかけると、戸を開けるというのは不審ではないか」

深夜であった。誰ともわからぬ者が戸を叩いたからといって、迂闊《うかつ》に戸をあけるほど、この節の者は不用心ではあるまい。

「源さん、その声をかける者だが、もしかすると、そやつが声をかけると大抵が安心して戸を開ける、或いは、開けねばならないと思う、そういう奴だったら、どうなのか」

源三郎が首をひねった。

「まず、その家の知り合いですか」

それにしては、賊に入られた家が多かった。

その一軒、一軒に知り合いを持つ盗賊というのは考えにくい。

「なにかないだろうか。戸を叩かれて何かいわれたら、必ず戸を開けてしまうような……」

東吾にしても、それ以上はわからない。

更にいえば、賊の中に町の情報にくわしい者がいる。どこそこの店に、社寺に、大金が集っているというのを知っていて押し込んだと思われるからで、賊の手がかりといえば、その二つぐらいではないかという東吾に源三郎がうなずいた。

「考えてみましょう。といっても、今のところ、雲を摑むようですが……」

源三郎が帰ってから、東吾も腕を組んだ。

意識の奥に何かがひっかかっているのだが、それがみえて来ない。

「鳶《とび》の若い衆なんかはどうですかね。火事だとかいって……」

炭箱に炭を足して運んで来たお吉が思案顔でいう。

「それも一つの考えだが……」

火事だ、火事だとさわげば、出て行った者の他にもそれを耳にする可能性がありそうに思える。

「福成寺の住職は、寺男と外の者が何やら話していたようだといっている。その言い方だと、どうも、火事という感じではなさそうなんだ」

「お医者の家なら、急病人だといいますでしょうが……」

るいが口をはさんだ。

「源さんの持って来た書きつけに、医者の家はなかったな」

「長助親分みたいなのが、お上の御用だといったら、どうでしょうかね」

お吉が笑いながらいい、東吾がふっと黙り込んだ。

「まさか、お上の御用をつとめる者が……」

るいがお吉をたしなめるようにいい、

「長助親分にその気づかいはございませんけど、世間にはたちの悪い岡っ引もいますからねえ」

それでも、八丁堀育ちは、仲間意識があって、それ以上はいわない。

「吉祥寺の桜が満開なら、向島もさぞかしきれいに咲いていましょうね」

るいが、「かわせみ」の庭に一本だけある桜樹を部屋からのぞいた。僅かな風に白い花片が少しばかり舞い落ちている。

一夜明けて、東吾は軍艦操練所で伊勢崎辰次郎に会ったので、一昨日の招きの礼を述べると、

「お帰りに、賊に会われたとか……」

といわれた。

「駕籠屋が駒込界隈に喋りまくったらしく、あの夜の料理屋から知らせて参ったのです。お怪我がなくてなにより……」

そこへ、あの夜のもてなし側であった戸張喜大夫が来た。

「残念なことを致したな。神林どのの腕なら賊の五、六人、皆殺しにするのは雑作もなかったであろうに……」

東吾は苦笑した。

「何分、未熟者でござれば……」

「いやいや、賊の逃げ足が早かったのでござろうよ」

ちらと伊勢崎辰次郎をみて、語調を変えた。

「実は、神林どのには、ちとお願い致したきことがあって先日、お招きしたのだが、つい、酒にまぎれて機会を失うてしまった。御面倒でも、本日、お帰りに向島の手前の別宅へお立ち寄り願えまいか」

遠慮がちにいい出した。

「どのような御用か存じませんが、この場でお聞かせ頂けませんか」

たまたま、部屋には伊勢崎辰次郎の他は戸張喜大夫と東吾だけであった。

「ちと他聞を憚《はばか》ることでもござれば……なに、お手間はとらせぬ。ほんの半刻ほど、手前の話を聞いて頂きたい」

吉祥寺の花見に誘われた時もそうだったが、戸張喜大夫の言い方は丁重だが強引で、ほとほと東吾は不快になったが、同じ所で働いている立場上、腹を立てるわけにも行かない。

それでも東吾は最後まで承知したとはいわなかったのに、その日、軍艦操練所の任務が終ると辰次郎がやって来て、

「戸張どのは一足先に向島のほうへ行かれ、貴公をお待ちになるとのこと。御案内役は

手前がしますので、何分よろしく」

という。

酒が入ると傍若無人だが、素面《しらふ》の時は別人のように神妙で気が弱そうにみえる男なので、東吾は少々、困った。

彼が戸張喜大夫に腰巾着《こしぎんちゃく》のような恰好で従属しているのは、軍艦操練所の大方が知っている。それというのも、伊勢崎家は貧乏御家人で、なにかにつけて戸張喜大夫の厄介になっているせいだと、東吾も耳にしている。

やむなく一緒に軍艦操練所を出ると、彼は明石橋の袂の船宿から舟へ乗った。あらかじめ、喜大夫にそう命じられていたと弁解する。

もっとも、向島へ行くには大川を舟で上るのが一番の近道だが、やがて舟の右手に大川端町、「かわせみ」の庭へ続く堤がみえて来て、東吾は憂鬱になった。

どうせ、たいした用事でもないのに、向島なんぞへ呼び出されるひまに、一刻も早く家へ戻って、るいや千春の相手でもしていたい。

舟の中で辰次郎は無口であった。大体、酒がないとろくに話も出来ず、軍艦操練所でも影の薄い存在であった。学問に熱心ということもないし、訓練で船に乗るとすぐ酔ってしまう。なんで、こんな男が軍艦操練所へ入って来たのかと、最初、東吾はいぶかしく思ったのだったが、それも、戸張喜大夫の口ききだったらしい。

「不躾《ぶしつけ》なことをお訊ねするようだが、貴公と戸張どのとはどのような御関係ですか」

さりげなく東吾が訊くと、蒼い顔でうつむいていた辰次郎が、

「遠い縁戚に当ります」

小さな声で答えた。みると顔に脂汗を浮べている。

大川ですら舟に酔うのだと気がついて、東吾は気の毒になった。

やがて向島というあたりになると、舟が急に増えた。花見舟である。堤の上は桜並木で、すでに盛りを過ぎかけている花が川面に散りこぼれて、それはそれで風情がある。けれども、舟を岸辺につけるのが容易でなかった。舟着場は花見客が乗って来た舟がぎっしり並んでいて、割り込む隙がない。

「戸張どのの御別宅というのは、どのあたりなのですか」

と、辰次郎に訊くと、

「綾瀬川を入って、西光寺と申す寺の隣です」

とのことで、そうなると花見舟でごった返す中を抜けて行かねばならない。

軍艦操練所を出たのが、いつもよりやや遅くて八ツ半（午後三時）を過ぎていたから、ここでもたもたしていると日が暮れてしまう。

が、いくら焦っても、舟は容易に綾瀬川へ入れない。といって歩いて行こうにも、舟を上る場所さえ、あいていないのだから、どうにもならない。

漸く、西光寺の隣の戸張家の別邸へたどりついた時、陽は落ちていた。

さして広くはないが、洒落た屋敷であった。

戸張喜大夫というのは旗本だと承知していたが、かなり裕福に違いない。そうでもなければ、駒込の花見に同僚の多くを招いたり、向島に別宅を持てたりは出来まいと思う。

「これはこれは、花見時の混雑をうっかりして居って、御迷惑をおかけ致した」

喜大夫は自ら玄関まで出迎えて、東吾を座敷へ案内した。

すでに膳の用意が出来ている。

「酒は御容赦下さい。御用のみ承りとうございます」

と東吾は断ったが、

「いやいや、ほんのお口よごしじゃ。お屋敷へ戻られるまでの、おしのぎに……」

手を叩いて女中に酒を運ばせる。

「折角のお心遣いを無にするようで恐縮ですが、今夜は兄と少々、約束がございます。何卒、お話のほうを仰せられて下さい」

東吾が開き直って、戸張喜大夫は止むなく着座した。

「では、申し上げるが、実は、これなる伊勢崎辰次郎には妹が一人ござる。名は藤江と申し、年は二十一であったかな」

喜大夫が辰次郎へ念を押し、勝手に酒を飲みはじめていた辰次郎が軽く頭を下げた。

「器量は、まあ人並みと申すところだが、どうも縁談がない。両親はすでに他界し今のところ、屋敷には兄一人妹一人じゃが、辰次郎が未だに妻帯せぬこともあって、妹も嫁ぎそびれて居った。しかし、いつまでも嫁に行かぬわけにも参らぬ。出来ることなら、神林どののような御人柄もよし、男前にて、腕もよしと三拍子揃った御仁の許へ嫁がせたいが、なかなか、そうも参るまい。神林どのはお顔が広い、どこぞに適当な相手を御存じではあるまいか。是非共、仲立ちをして頂きたいのじゃが……」

もったりとした口調で喜大夫がいい、東吾はあっけにとられた。

「それがしにお話と申されたのは、伊勢崎どのの妹御の縁談を探せとおっしゃるのですか」

「居りませぬかのう。人柄もよく、男前にてとは申さぬ。当人の年齢からして、後妻でも一向に……」

「申しわけございませんが、左様な御用は、手前に不向きです。第一、手前は八丁堀育ち、知り合いはみな町方《まちかた》にて……」

町奉行所に所属する与力、同心を旗本や御家人達が不浄役人呼ばわりするのは周知であった。

「かまいませぬよ。この節、不浄役人であろうと、縁組を致すのは……」

東吾は立ち上った。

「これにて、失礼仕《つかまつ》る」

大刀を取って、足早に玄関を出た。

腹の中が煮えくり返っている。自分を町奉行所の与力の弟と知って、愚弄《ぐろう》するために呼んだのかと思う。

自分のことはともかく、兄を辱《はずか》しめられたようで怒りが全身をかけ廻った。もう少し若かったら、戸張喜大夫を斬ったかも知れない。年齢相応の分別がぎりぎりのところで東吾を忍耐させた。

外は暗かった。

西光寺の裏へ抜けて、綾瀬川の枝流と思われる川に架る土橋を渡った。それしか道がない。歩いて行くと馬を曳いて戻って来た百姓に出会った。道を右に右にと折れて行けば、綾瀬川に出ると教えられて礼をいって別れた。

あたりは田畑、人家はまるでない。

提灯を持たない身にとっては、月明りだけが頼りであったが、次第に目が馴れて来て、なんとか歩ける。

やがて綾瀬川へ出て、板橋を渡った。方角からして、このまま、まっすぐ行けば向島へ出るに違いない。

相変らず、道の両側は百姓地であった。

誰かに尾《つ》けられていると思ったのは、前方にこんもりした森らしいのがみえた時で、足を止め、耳をすませたが、なんということもない。気のせいかと、また歩き出した。

たどりついた森のところに石燈籠があり、灯が入っている。白鬚神社であった。

この石垣に沿って行けば向島の堤に出る筈だと、ほっと一息ついたとたんに背後から斬りかかって来た者があった。

反射的に東吾は体をひらいてやりすごした。

一瞬早く、殺気を感じていたせいである。だが、二の太刀がすぐ襲って来た。遮二無二といった感じで執念深く向って来る。

身軽く避けながら、東吾も抜いた。攻撃に出なかったのは、まだ、どこかに敵のいる気配のようなものを意識したからで、相手は得たりとばかりにふりかぶって打ち込んで来た。

東吾の剣が大気を裂いた。

闇でなければ、相手はみた筈である。東吾の剣が相手の剣をまるで巻き込むようにすくい上げ、鮮やかに宙へはねとばすのを。

得物を失って相手は逃げた。大川へ向う道である。周囲に油断なく、東吾は追った。

先夜は数人の賊が、ばらばらの方角へ逃げたから追い切れなかったが、今夜の襲撃者は今のところ一人のようである。

堤の道へ出た。

先刻、花見客で混雑していたのが嘘のように人影がない。

月は雲にかくれたのか、前より暗くなった。

それでも前方を逃げて行く気配は感じ取れる。

桜並木が切れ、牛ノ御前が近くなったあたりで、東吾の前方の気配が消えた。どこか脇道へ入ったらしい。

脇道はいくつかあった。

迷いながら行き過ぎて、東吾は足を止めた。

相手はどこかにひそんで、自分をやりすごそうとしているのではないかと思う。

戻りかけた時、脇道から提灯を下げた人が出て来た。

着流しで巻羽織、帯に朱房の十手がみえた。

「何者だ」

むこうから誰何《すいか》されて、東吾は答えた。

「手前は、軍艦操練所に勤務致す神林東吾と申す者……」

「神林どのの弟御ですか」

穏やかな返事が聞えた。

「これは失礼を致した。手前は定廻り同心、村越市十郎と申します」

名は知らなかったが、身分は一目でわかる。

「どうかなされたのですか。走って来られたように見えましたが……」

訊ねられて、東吾は向島の知り合いに招かれての帰りに、何者とも知れぬ男が襲撃して来たことを告げた。

「奇怪な……」

曲者に心当りはあるかと訊いた。

「全くないが……」

「追いはぎですかな」

低く笑った。

「だとしたら、相手が悪かった……」

あたりを見廻すようにした。

「探しますか」

「いや、無理でしょう」

とっくに逃げ去っているに違いなかった。

町中ならともかく、この附近では逃げかくれする場所はいくらでもある。

「では、途中までご一緒に……」

提灯で足許を照らしながら歩き出した。

「手前は知り合いの病気見舞に来たのですが、どうも回復のおぼつかないという病人を見舞うのは気の重いものですな」

村越市十郎は問わず語りに、そんな話をし、あとは黙々と道を急いだ。

別れたのは永代橋を渡ってからで、東吾が見送っていると、村越市十郎は八丁堀の組屋敷のほうへ向って行った。

三

翌日、講武所へ出仕する前に、東吾は畝源三郎の屋敷へ寄った。

「早いですな。東吾さん」

と笑った源三郎は朝餉をすませて、着替えをしている最中であった。

「実は、村越市十郎という仁について訊きたいのだが……」

お千絵が茶の用意をしようとするのを断って座布団に腰をすえた。

「当人は定廻りだといったが……」

「その通りです。年は三十五、六の筈で、人柄は可もなく不可もなく、ただ剣術は自信があるようで、二年程以前、品川のほうの大捕物で、捕縛に向ったもう一人の同心が手傷を負わされたのに、村越どのがひるまず、五人を斬り伏せたとか。御奉行から御褒美を頂戴していますよ」

何故、村越のことを訊くのかと反問されて、東吾は昨夜の一件を話した。

「村越どのが向島に……」

少し考えて、源三郎が低くいった。

「それはおかしい気がします。村越どのの御新造は長らく病んでいて、実家で養生しているそうです。村越どのは御役目のすんだ後、まめに見舞に通っていると聞いていますが」

「それが向島ではないのか」

「いや、駒込です」

「なんだと……」

東吾が膝を進め、源三郎が東吾をみつめた。

「駒込ではまずいですか」

そういう源三郎の目も光っている。

「ここだけの話にして下さい。昨夜、日本橋の両替屋がやられました」

賊が押込んだのは、亥《い》の下刻（午後十一時）を廻った頃で、人数は三人。

「やはり、戸を叩かれて出て行った番頭が斬られて死にましたが、その時、店の二階、といっても屋根裏部屋ですが、小僧がそこに寝泊りしていまして……」

定吉といい、けっこう機転のきく小僧なのだが、

「そいつが、お役人様、と番頭がいったのが聞えたと申し立てたのです」

「お役人様、か」

そう呼ばれる職務は多いが、深夜に戸を叩いて、家人が開けるのは、

「八丁堀の人間なら、開けるだろうな」

お吉が、長助親分が声をかけたら開けますでしょうねと冗談にいったのを、東吾は思い出していた。あの時、なにがなしに心のどこかでどきりとするものがあったのだが。

「東吾さんが、村越どのと別れたのは、何刻ぐらいですか」

「永代橋を渡った所で、五ツ（午後八時）にはなっていなかった筈だ」

村越市十郎は八丁堀の方角へ帰って行った。

「考えたくないことですが、日本橋へ押込むには間に合います」

源三郎が気にしているのは、昨日、両替屋を調べた時、村越市十郎の名が出ている点で、

「村越どのは、その店へ時折、顔を出していて、数日前にも立ち寄っているのです」

定廻り同心なら、町廻りをしているので商家に関して、その気になればお手先を使って情報を耳にすることが出来る。どこそこの社寺が寄附を集めたなぞというのも、けっこう聞えて来るものだと源三郎は少々、情なさそうな口ぶりでいった。

「ですが、手前としては、まさか我々の仲間が盗っ人の片棒をかついでいるとは思いたくもありません」

「村越と、戸張喜大夫の間柄はどうなのかな。知り合いということはあるまいか」

「東吾さんは、戸張喜大夫どのまで疑っているのですか」

「もし、昨夜、村越が向島あたりにいる理由がはっきりしないとなると、一応、疑ってみたほうがよいかも知れない」

「裕福な旗本なのでしょう」

「人はみかけによらないともいうだろう」

源三郎がうなずいた。

「奉行所へ参ったら、村越どのについて調べてみます。その上で、東吾さんに報告しますが……」

「俺の早とちりだといいがな」

一足先に源三郎の屋敷を出て、東吾は講武所へ向った。

午前中の稽古が終って、午後からは教授方の申し合せがあった。続いて来月の行事や、稽古の割り当てに時をつぶして、東吾が帰り支度をしていると、

「神林先生、御来客です」

と取り次ぎがあった。

出てみると嘉助である。

「今しがた、畝様の御新造がみえられまして、御屋敷に文が届いたと申されるのです。珍しいことに、そこへ畝の旦那がお戻りになって、それをごらんになり、すぐに出かけられたそうですが、お千絵様はその文に、暮六ツ（午後六時）、駒込神明宮にて、と書かれていたのを、かいまみられたとか、それで、御心配になり、手前どもへ参られましたので……」

「暮六ツ、駒込神明宮だな」

まだ七ツ半（午後五時）には間があった。

「俺はそっちへ行く。るいに心配するなと伝えてくれ」

「手前も、お供を……」

「いや、かわせみになにかあるといけない、すぐに帰ってくれ」

もしも、村越という定廻り同心が来たら、くれぐれも注意するようにというと、嘉助は老人とは思えない足どりであっという間に走り去った。

講武所を出て、まっしぐらに駒込に向った。

畝源三郎はなにかを摑んだのだろうと東吾は地を蹴りながら考えた。それにしても、まだ帰宅する時刻でもないのに、八丁堀へ戻ったのは、なんのためだったのか。まるでそれを知っていたかのように文が来たのも不思議であった。

村越市十郎は相当の遣《つか》い手《て》だという。

もし、昨夜の襲撃者と村越がつながっているとしたら、いや、村越が盗賊仲間に加っていたとしたならば、呼び出された源三郎の身が危険であった。

つむじ風のように走って行く東吾を、道行く人が、あっけにとられて見送っている。

加賀前田家の上屋敷の脇から追分へ、上り坂だが、東吾はたいして息も切らさなかった。

生れつき、足も早いし、身《こや》も軽い。

「神林の鍛練は並々ではない。日頃の心がけのたまものであろうな」

と、師の斎藤弥九郎を感心させるほどの東吾の体力だが、それは八丁堀育ちで長年、捕物にかかわり合って来た実績とも無縁ではなかった。

駒込神明宮は吉祥寺を通り抜けた御成道を右に折れた奥のほうにあった。

僅かな町屋が切れたあたりからは一面の原になって、その遥か先のほうに神明宮の鳥居がみえ、杉木立の参道になる。

そっちのほうから人が逃げて来た。近所の百姓の女達のようである。

「どうした」

東吾がどなり、

「人が……人が斬り合いを……」

女が泣き声で叫んだ。

東吾が走った。

見渡す限り、神明ノ原が続く。

人影がみえた。

夕闇が迫ってくる中で、男のふりかざした剣が光り、がっきと激しい音がしたのは、源三郎の十手が刃をはじき返したものであった。

「源さん……」

「東吾さん……」

呼び合った時、東吾はもう源三郎の脇に立っていた。

目の前の敵は四人。

薄暮の中で、東吾はその中の三人の顔をみた。

一人は村越市十郎、その背後にすくんだ恰好でいるのが伊勢崎辰次郎、そして、源三郎が刃をはね返した相手は、

「貴様、仁村大助……」

忘れもしない。昨年の秋、品川御殿山の麓にある滝川大蔵の茶の催しに招かれた際、

御殿山で清水琴江の遭難に出会った。

あの折、琴江に斬りかかっていた侍を東吾は倒したが、いずれも致命傷ではなかった。琴江を助けて、かけつけて来た麻生宗太郎にまかせ、現場へひき返してみると、侍達は胸を突かれて絶命していた。

あとでわかったことだが、そうしたむごい真似をしてのけたのは、その侍達と同藩の仁村大助で、彼は琴江が江戸へ届ける密書を奪い、主家の御家騒動に乗じて、立身出世を企んだものであったが、東吾の働きで悪事が露見するのを知って、突然、斬りかかり、反撃されて新堀川へとび込んだ。

それっきり、東吾のほうは彼の消息を聞かなかったのだが。

「貴様、生きていたのか」

仁村大助が蒼白な顔でせせら笑った。

「因縁だな、神林東吾。貴様のおかげで俺は主家を浪人した」

「おのれの身から出た錆だろうが……」

そうだったのかと東吾は気がついた。

湯島の切通しで、同じやり方をみた。手傷を受けて動けない仲間を、東吾が立ち去った後、彼らの口をふさぐために惨殺した。あれは、仁村大助の仕業だったのだ。

「盗賊にまで落ちたか、仁村大助……」

「黙れ」

大気を切りさいて来たのは、村越市十郎の剣であった。

力にまかせた、したたかな剣さばきを東吾は春風に舞う蝶の軽やかさでかわした。

「おのれ」

反対側から仁村大助が斬り込んだのは、源三郎がとび込んで払った。

伊勢崎辰次郎と残りの一人は、石になったように動けない。

二対二の血闘は、そう長いことではなかった。

焦って斬り込んで来た村越市十郎は、東吾の剣に太股を斬られて動けなくなり、仁村大助は源三郎の十手で脳天を割られてひっくり返った。

逃げ出そうとした賊の生き残りは東吾に当て身をくって地面にのびてしまったし、伊勢崎辰次郎は戦意を失って、へたへたとすわり込んだ。

その伊勢崎辰次郎の口から、すべてが明らかにされた。

京極藩から追放になった仁村大助はならず者を手下にして、江戸市中で盗賊を働いていたのだったが、戸張喜大夫の屋敷で行われていた賭場に出入りし、そこで喜大夫や辰次郎と知り合った。

「最初、仁村はおのれの素性をかくし、子細あって京極家から暇を取った浪人として戸張や伊勢崎とつき合っていたのですが、その中に、村越とも昵懇《じっこん》になったのです」

事件が落着して間もなくの「かわせみ」で、畝源三郎が東吾に報告した。

「村越と伊勢崎が義兄弟とは、俺も驚いたよ」

東吾が笑ったように、村越市十郎の妻は伊勢崎辰次郎の姉であり、同じく辰次郎の妹は戸張喜大夫の妾になっていた。

「戸張どのは派手好きで、しかし、内情は火の車だったようですな」

伊勢崎辰次郎は御家人だが、こちらも長年の貧乏で首が廻らなくなっている。

それでも、戸張や伊勢崎には甘いところがあって、仁村大助の素性が見抜けなかったのだが、定廻り同心の村越市十郎の目はごま化せなかった。

「仁村大助の正体を知って、村越はそれを捕えるどころか、逆に自分が彼らをあやつって盗みを働くことを考えた。情ないことですが、八丁堀の役人の身で盗賊の上前をはねるという前代未聞の事件が起ったわけです」

それというのも、役目を利用すれば、一夜にして巨額の金を手に入れることが出来たからで、盗みに入る家に目星をつけるのも村越なら、戸を叩いて開けさせるのも村越の役目であった。

「日頃、顔なじみの定廻りの旦那が急用といえば、大方は戸を開けます」

村越は顔をみられた相手は必ず斬殺して、素性がばれないようにしていたが、両替屋の二階に寝泊りしていた小僧に、声を聞かれてしまった。

「手前が、村越に疑問を持ち調べ出したのに気づいて、そこは頭の働く男です。早速、手前の口を封じようとしたのが、神明ノ原でした」

奉行所で村越は刻限を決めて源三郎の屋敷へ行くと約束し、彼が帰宅する頃に呼び出し状を使に持たせた。

向島で東吾を襲撃したのは仁村大助であった。

「奴は湯島の切通しの時、東吾さんと出会って、怨みを晴らそうと考えたのですな。戸張どのや伊勢崎は、仁村に利用され、東吾さんを呼び出す手助けをさせられたのです」

「全く、とんだ逆怨みだぜ」

東吾が憮然として、るいが眉をひそめた。

「悲しいことでございますね。いくら、貧《ひん》すれば鈍《どん》すとはいっても、お旗本や御家人、それに八丁堀のお役人までが、悪事に加担するなぞとは……」

「全く、世も末だな」

東吾も源三郎も顔を見合せて肩を落した。

村越市十郎と仁村大助は死罪となったが、村越のほうは獄死した。

定廻り同心が盗賊と世間に知れては、江戸の治安もおぼつかないというので、彼に関する一切は公けにならず、ただ、御役目に支配違いがあり不届きにつき、という罪状が調書に残された。

戸張喜大夫と伊勢崎辰次郎の処分は目付へ廻されたが、こちらは間もなく両名とも切腹、家名断絶と知らされた。

生き残りの賊は流罪となった。

江戸は桜が散って、少々早い五月雨《さみだれ》の季節を迎えていた。

大力《だいりき》お石《いし》

一

大川端の旅籠「かわせみ」から大川沿いに南へ下ったあたり、松平越前守の中屋敷と堀をへだてたところに、祭の櫓《やぐら》のようなものが建った。

お上が命じて建てさせたには違いないのだが、その目的が今一つ、判然としない。

町役人が聞いたのでは、これから雨の多い季節に備えて、大川の様相、つまり、水量や流れの早さをいち早く観測して災害時の役に立てるのだという。

高さはおよそ七、八間もあろうか、梯子段を上って行くと一間四方ほどの板敷があり、周囲に簡単な手すりがついているだけのもので、その昔の物見櫓といった感じがしないでもない。

常時は別に番人がいるわけではなく、梯子段の脚に「のぼるべからず」と木の札が打ちつけてあるが、忽ち腕白小僧の遊び場になった。

餓鬼大将が小さな子供を脅して無理矢理、梯子を登らせる。梯子は足のかかる所が申しわけのように狭く、しかも急だから、大抵の子供は半分も上らない中《うち》に怖がって泣き出してしまう。それを閻魔大王の手下の獄卒よろしく、悪餓鬼共が棒っきれをふり廻して追い上げるのだ。

その場所は空地で、片側が大名家の堀、もう一方は大川に面しているし、反対側は材木置場になっている。銀町のほうからは見通しが悪く、第一、あまり人が通らない。

悪童の弱い者いじめの場としては、恰好であった。

「危いったら、ありゃあしませんよ。もし、上から落ちたら、怪我だけで済むわけがないんです。死人が出てからじゃ、とりかえしがつかないんですから……」

早速、見に行って来たというお吉が晩餉のお給仕をしながら、主人夫婦に報告しいつものように東吾が聞き役に廻った。

「そんなに子供が登っているのか」

「あたしが行った時には、大きな子が上に二人登っていて、櫓の下に竹の切れっぱしを持ったのが二、三人、小さな子をどやしつけたり、はやしたりして登らせようとしているんですよ。馬鹿な真似はやめなさいっていったって、知らん顔、女のいうことなんぞ聞きゃあしません」

「この近所の子なのか」

「餓鬼大将は南新堀町の金物問屋の倅ですって。おっ母さんが死んじまって、年寄が甘やかしたせいで、手のつけられない暴れ者になっちまったそうですよ。悪智恵は働く、嘘はつく、おまけに小遣に不自由しないから、子分みたいにくっついていうことを聞く子がいるんですよ」

「要するに、ちびが徒党を組んで悪《わる》さをしているわけだ」

「ちびなんてもんじゃありません。この節の十五、六っていえば大人並みの背丈がありますから……」

「まわりの者は叱らないのか」

「名主さんがいってましたよ。昔の子は叱りゃあ蜘蛛の子を散らすように逃げたもんだが、この節はせせら笑ってるって……」

「困ったものだな」

女中のお松がお吉を呼びに来て、話はそこで終った。

「お松は、いつ、故郷《くに》へ帰るんだ」

東吾がるいに訊き、千春に飯を食べさせていたるいが微笑んだ。

「珍しいですのね。あなたが女中のことなぞ、お気になさるの」

「冗談いうな。これだって、れっきとした旅籠屋の主人だ。奉公人の出替りぐらい、気にするさ」

三月はたしかに奉公人の出替りの季節であった。

殊に、近頃は農閑期だけ江戸へ奉公に来る者が増え、それらは十月から三月一杯働いて故郷へ帰って行く。

流石に「かわせみ」は、そういった半期の奉公人はおかないが、若い女中が暇を取るのが一応、三月になっている。
十四、五で奉公に来て三、四年も働くと、「かわせみ」の場合、一応、行儀作法、縫物や台所仕事など、きちんと仕込まれるので、親のほうも安心して嫁入り先を考える。なかには、縁談がまとまらなくて、二十過ぎまで奉公している子もいないわけではないが、大方が十八あたりで暇を取って親元へ帰って行った。
「かわせみ」の場合、るいはもとより、女中頭のお吉も番頭の嘉助も親身になって面倒をみるほうだし、待遇も悪くない。

で、大方の女中は、自分が暇を貰う時、同郷の者で奉公に出たいと希望しているのを、かわりにやとってもらえないかと申し出る例が少くなかった。

雇主のほうも身許は知れているし、桂庵《けいあん》からよこす女中のようにすれっからしの心配もないので、当人に会ってみて、いいようなら採用することにしていた。

「この前、お松の親が来た時、いっていただろう。同じ村の者で、気立のいい子が、是非、奉公したいと……」

お松はもう四年「かわせみ」で働いていた。正直者で気立も悪くなく、器量も人並み以上なので、なんなら江戸で嫁入り先をとるいは考えていたのだったが、この正月に親が武州所沢からやって来て、在所のほうにいい縁談があるという。

当人に訊ねてみると、まあ幼馴染で気心も知れている相手なので嫁に行ってもいいという返事であった。

お松の家族は兄弟がみな遠国へ奉公に出てしまっているので、親としては一人ぐらいは近くに嫁がせたいらしい。

「かわせみ」のほうでも、異論はなく、今更、見合でもなかろうが、親と一緒に帰って相手と話をして来るようにと出してやったのが、四日ばかりで戻って来て、三月一杯で暇を取りたいとのことであった。

東吾がいったのは、そのお松の親が話した女の件だったのだが、るいは少しばかり困った顔をした。

「お松が心配しているんです。その子はお石さんといって、子供の頃からお松も知っているそうですけど……」

「手癖でも悪いのか」

「そんなことはないのですが……」

「むこうに何か故障でも出来たのか」

「いいえ」

「なんだ。随分と歯切れが悪いじゃないか」

東吾が湯呑を取り上げ、るいは千春の口のあたりを手拭でふいてやってから向き直った。

「そういうわけじゃありませんけど、お松がこの前、むこうへ行って、帰って来てから申しましたの。お石さんというのは正直でいい人だけど、あんまり気働きのあるほうじゃなくて、やることがのんびりしているんですって。当人も客商売の家で勤まるかどうかと心配しているといたものですから……」

「田舎育ちは、誰だってのんびりしているんじゃないのか。お松だって最初に来た時は、お吉がだいぶ手を焼いていただろうが。使にやったら、帰りに猿廻しを見物していて、夕方まで帰って来なかったのは、あいつだったろう」

「本当に、あの時は迷子になったのか、かどわかしに会ったのかって、家中で大さわぎしましたっけ……」

るいがなつかしそうにいい、笑い出した。

「それがもう、お嫁に行くんですからねえ」

ここ一年ぐらいはお客の応対も見事で、細かな気くばりも出来るようになった。色の黒い山出し娘が江戸の水で洗い上げられて、町内の若い男にさわがれるようないい女に成長した。

「考えてみると娘なんぞつまらねえな。手塩にかけても、結局、嫁にやっちまうんだからなあ」

飯をすませて、父親の膝へやって来た千春を眺めて、東吾がしみじみといい、それでるいは決心がついたようにいった。

「正直で真面目なら、かまわないと思うんですよ。変に気が廻る子は、お吉も苦手だといっていますから……」

所沢のお松の親へ文をやって、お松を迎えに来る時、その子を伴って来るよう勧めてみるといい、るいは漸く、自分の晩餉にとりかかった。

二

だが、三月晦日《みそか》、夕方に所沢から到着したお松の父親の幸助が、お吉にいわれて、裏木戸の外に待たせておいたお石を連れて戻って来た時、お吉は勿論、台所にいた板前達までが、あっといったきり絶句した。

なにしろ、大女なのである。

背は幸助とあまり変らない。丸顔で頰が赤く、手足はずば抜けて大きくごつい。肩がしっかり張っていて、木綿の着物が衣紋掛けにかかっているような案配である。

「お石と申しますだ」

幸助にうながされて、小さな声で挨拶するのに、お吉が気を取り直して、

「あんた、いくつになんなさるの」

と聞くと、

「十三だ」

肩をすくめるようにして答えた。

「それにしちゃあ、よく育ったもんだねえ」

お吉が感心、というより、なかばあきれ顔でいうのに、幸助が、

「ちいせえ頃から田や畑の仕事だの、山へ入って炭焼きだの、およそ力仕事はなんでもやっているだで、まあ、水汲みだの、薪割だのに使ってもらえたら、ありがてえだが……」

と、とりなすようにいう。

その夜、幸助は「かわせみ」へ泊めてもらい、お松は必死になってお石にとりあえず必要なことを教えまくった。

東吾はたまたま練習艦に乗って、洋上訓練に出ていたので、お石をみたのは四月なかば、昼過ぎに「かわせみ」の暖簾《のれん》をくぐろうとした時であった。

「今、帰った……」

といいかけて驚いたのは、店の外の天水桶へ、大きな手桶に水を一杯入れたのを両手に下げて来た女が、いきなり両手ごと、手桶の水をあけたからで、これはちょっと大の男でもやらない。で、その場に立ち止ってみていると、若い女は東吾には目もくれず、空の手桶を下げて、どすんどすんと裏木戸を入って行き、井戸から水を汲み上げて手桶を満たすと、また、どすんどすんとやって来て、えいやっと両手ごと天水桶へ水を叩き込む。

「これは、若先生、お帰りなさいまし」

暖簾のむこうから嘉助が気がついて迎えに出て来たので、

「足柄山の金太郎みたいなのがいるが、あれがお松の代りに来た女中か」

と訊くと、嘉助が目許を笑わせた。

「成程、たしかに金太郎でございますね」

お石、と呼んだ。

「旦那様がお帰りなさった。御挨拶をしなさい」

お石は両手に手桶を下げて、まじまじと東吾をみたが、慌てて地面へすわり込んだ。

「気がつかねえで、すまねえことで……」

這《は》いつくばってお辞儀をされて、東吾のほうが狼狽した。

「よせやい。そんな所へすわり込むなよ。着物が泥んこになっちまうぞ」

嘉助もいった。

「往来へすわるもんじゃねえ。さあ、もういいから台所へ行くんだ」

お石は立ち上り、手桶を下げて、今度は地響きを上げて走り去った。

「凄いのが来たな」

暖簾をくぐりながら東吾が苦笑し、嘉助が首を振った。

「あれでも、少々、まともになりましたんで……。来てから十日ばかりはお吉さんの金切り声が絶えませんで、なにしろ、あの咽喉の丈夫な人が、声を潰しちまったんですから」

「お吉も年のせいで、気が短くなったんだろう。なにもかも一ぺんに教えようたって無理なんだ。こつこつと時間をかけて……」

「お帰りなさいまし」

目の前にお吉が手を突いていた。怨めしそうに東吾を見上げる。

「なんだ、この陽気に風邪でもひいたのか、えらい声だな」

いってしまって、東吾は気がついた。たった今、嘉助から聞いたばかりである。

「声、潰しちまったのか」

「こんな声で申しわけございません」

白い目をして嘉助にいった。

「番頭さんから若先生に申し上げて下さいよ。あたしが怒るのが無理かどうか……」

嘉助が、長寿庵の長助を真似て、ぼんのくぼに手をやった。

「そりゃもう、お吉さんのいう通りだ」

「とにかく、地べたと家の中の区別がつかなかったんですよ。土間へはだしで下りちまって、そのまんま、上へあがるんです」

「土間へ下りる時は下駄を履けと……」

「教えるそばから、うっかりするんです。汚れた足で雑巾がけをしたって、ちっともきれいにはなりません」

「その通りだ」

「障子の桟に、はたきをかけるのを教えたら、どういうわけか、障子紙がみんな破れちまって……」

「……」

「豆腐屋のかつぎ売りが来たら、爺さんに荷が重くて気の毒だと思ったって……自分が代りに荷をかついで廻って……こっちはどこへ行っちまったのかと、近所中走って、長助親分までが探しに行ってくれたんです」

千春の声がして、奥からるいが出て来た。

「お吉、宗太郎先生がおっしゃったでしょう。二、三日は口をきかないようにしていないと、その声が地声になってしまうから、気をつけなさいって……」

大刀をるいに渡し、東吾は忠義者の女中頭をいたわった。

「えらいめに遭ったな。あとは内儀さんに聞くから、宗太郎のいった通りに養生しなけりゃあいけない。もともと、お吉は声がよかったんだから……」

千春を抱き上げて居間へ入ると、るいが袂を口に当て、声を殺して笑っている。

「なんだ。いったい」

「あなたが、お吉をなだめるのが、あんまりお上手でしたから……」

「だいぶ苦労しているようだな、足柄山の金太郎にゃあ……」

「所沢にもいろいろな子が居りますのね」

武州所沢は秩父街道の宿駅の一つであった。

江戸の四谷大木戸からだと西の方へ七里余り、川越へ四里、青梅へ五里、まず市の立つ時でもなければ、静かな武蔵野の丘陵地帯である。

「でも、いい所のようですよ。これから先は卯の花がとてもきれいに咲くのですって」

「そんな話をしたのか」

「お松とくらべると口が重いんです。一つは田舎訛《なま》りを恥かしがっているみたいですけれど……」

「力はありそうだな。水の入った手桶二つを軽々と運んでいたよ」

「竹箒を、もう二本も駄目にしたんですって」

「なんだと……」

「お吉の口真似で申しますと、馬鹿力で砂利でも小石でも力まかせに掃くからだそうですよ」

思わず笑ったが、「かわせみ」の一切を取りしきっているお吉にしてみたら、笑いごとではないのかも知れないと東吾は思った。

「当人も苦労していますの。来てから三日ぐらいは、夜ねむれなかったとか」

「家が恋しくてか」

「それもあるかも知れませんけど、布団が柔かすぎたみたい……」

お石の話によると、物心つく頃から藁《わら》の布団で育ったのだという。

「今はもう、馴れたんだろう」

「あんな柔かいもので寝るのは、体によくないのではないかと心配しています」

「かわせみ」の奉公人の布団は、お吉がまめに陽に干させているし、適当な時に綿の打ち直し、仕立直しをするので、そうひどい煎餅布団ではないが、格別、上等というほどでもない。

「お松より手がかかるかも知れないが、金太郎がどのくらいいい娘になるか、楽しみじゃないか」

お吉の苦労がわからぬではなかったが、そこは男のことで、東吾はのんきな口をきいていた。

その月の終りに、東吾は講武所の帰り、日本橋川の近くで畝源三郎に出会った。

町廻りが本所深川だったので、これから神田附近に寄って奉行所へ戻るという源三郎が、

「今度、かわせみへ来た子は凄いですね」

と笑った。

「お石のことか」

「この前、かわせみの裏を通りすがりに、薪割をしているのがみえたんですよ」

まだ色気もなにもないので、襷《たすき》がけで、高々と威勢よく斧をふりかぶっていたのだが、まるで武術の鍛練をしたような筋肉のつき方に驚いたと源三郎がいった。

「八丁堀の道場に通っている連中だって、あんなしっかりした腕の持主はいませんよ。いっそ武芸をやらせたら、巴御前そこのけの」

「かわいそうなことをいうなよ」

親友の軽口を東吾は制した。

「女の筋骨隆々は、嫁入り道具にはならんだろう」

「そんなことはありません。健康でよく働く娘は、その家の宝です」

「ぼつぼつ、笊《ざる》をかぶせたほうがいいんじゃないかと内儀さんがいっているよ」

「女の背の高いのは便利ですよ。高い棚の上からでも踏み台なしでものが取れます」

そういえば、畝源三郎の女房も、女にしては背の高いほうだったと思い、東吾はにやにやした。

「ああいうのが、源さんの好みとはうっかりしていたな」

「いや、背の高い女は女房一人で充分です」

笑いながら別れてから、東吾は考えた。

いくら力があるからといって、いつまでも力仕事をさせていたら、女らしい体つきにはなりはしない。

「かわせみ」へ帰って、その話をるいにすると、それはもう、だいぶ前から考えて少しずつ、宿屋の女中の仕事もさせているといった。

「嘉助もお吉も、力仕事は男衆がいるので、お石がする必要はないといいますの」

けれども、女中として働かせてみると、お石の失敗は並大抵ではないらしい。

「たとえば、お客様が晩飼にお酒を一本つけるようにと御注文なすっても、お石はそれをお吉や他の女中に取りつげないのです」

多くの理由は、言葉であった。

旅籠の客は諸国各地からやって来る。「かわせみ」の場合、上方からの人も少くないし、信州や越後からの常連もいる。

それらのお国言葉がどうもお石には聞きとれない。

「江戸言葉も駄目なんです。うちの人達はみんな早口で、何をいっているのかわからないと泣いて訴えましたの」

といって、威勢のいいのが自慢の板前達にもっとゆっくり話してやってくれとはいい難い。

「それに、板前や女中達は、お石がなにをいっているのか、声は小さいし、訛りはひどいし、まるっきり通じないといいます」

「それじゃ、用は足りないな」

今のところ、お吉がてんてこまいをしながら、お石のしくじりの帳尻を合せているが、早朝に出立したい客の朝飼の膳が間に合わなかったり、弁当を頼んでおいたのが、板場に通じていなかったりで、その都度、お吉が平あやまりにあやまっている。

「まだ子供ですし、無理だと思いますけれど、お石は自分であやまろうとすると、舌がもつれて、何をいっているのだかわからなくなってしまうんです」

「かわせみ」の女主人の立場で、るいもいささか困惑している様子であった。

たしかに東吾がみていても、お石は動作が緩慢であった。

一生けんめいにやっているのだが、手が遅い。

それに無口であった。漸く口を開くと、田舎訛りがとび出して来る。

長寿庵の長助が蕎麦粉を届けに来た時に、それとなく、田舎から出て来た奉公人はどのくらいでお国訛りがなくなるものかと聞いてみると、

「野郎はどっちかというと遅いようですが、女はきまりが悪いって気持のせいか、案外、早く抜けますんで、まあ、江戸近在なら一カ月もあれば、まがりなりにも江戸の言葉をなぞるふうになるもんですが……」

という。

その長助も、お石のことは少々、気になるらしく、

「こちらで無理なようなら、あっしの店で働いてもらっても、ようございますが……」

と気を使っている。

だが、東吾は知っていた。

どんなに口やかましく叱言《こごと》をいっても、愚痴をこぼしても、いったん、「かわせみ」の女中としてやとった以上、決して他へ廻すなどとはいい出さないお吉の気持を、であった。

それは亦《また》、女主人のるいの性格でもある。

「まあ、うちの女連中は根気があるから、いずれ、どうにかなるだろう」

長助の思いやりに感謝しながら、東吾はそう答えた。

三

がんばっても、がんばってもしくじりばかりしているお石が、実は外で、とんでもないいじめられ方をしているのに、まず気がついたのはお吉であった。

急に豆腐が一丁足りなくなって、味噌こしを持たせて使にやったところ、砕けて泥だらけになったのを持って帰って来たことがあった。どうしたと訊くと、途中でころんだという。

霊岸島町の洗い張り屋へ、奉公人の着るものの洗い張りを頼んでおいたのを取りにやると、ぐしょぐしょに濡れた風呂敷包を抱えて戻って来た。

亀島川のふちでけつまずいて風呂敷包を川へ落したので、とび込んで拾い上げたと、自分も腰のあたりまでずぶ濡れになっている。

「この近所の川は、雨でも降ると、あっという間に水かさが増えるんだから、ものを落したからってむやみにとび込んだりしてはいけませんよ。どんな大事なものでも、人の命には替えられないんだから……」

といいながら、そこは年の功でお吉は少しずつ、おかしいと感じていた。

その中に、卵が急に入用となって、板前が、

「若いのを、走らせましょう」

といったのを、お吉が、

「近くだから、お石さんに行ってもらいますよ」

と答えたのは、板場が仕込みでいそがしい時刻なのを知っていたからである。

それに、「かわせみ」がいつも卵だの乾物だのを買いに行く川井屋は、つい先だって、お吉が教えがてら、お石を伴って行ったばかりであった。

川井屋で扱う卵は上等なので、必ず籾殻《もみがら》を敷いた木箱に入っている。卵を使ってしまった後の木箱はそのまま持って行けば、次の時にまた、そこへ卵を入れて売ってくれるので、お吉は空いた木箱を風呂敷に包んでお石に持たせてやった。

川井屋とは馴染なので、その都度、現金で支払うのではなく、月末にまとめて払う掛売りである。従って、お吉はお石に金は持たせなかった。

お石は早速、出かけて行ったが、待てど暮せど帰って来ない。

川井屋は霊岸島四日市町であった。

「かわせみ」のある大川端町からは西へ向った隣町だから、たいして時がかかる筈はない。

ひょっとして道でも間違えたのかと、お吉は裏口をとび出した。いつまでも卵が来ないのでは、板前の手順が悪くなる。

大川端町は大川に沿った細長い町で、まっすぐ行くと亀島川から大川へ流れ込む堀割にぶつかる。

その堀割の向う側に、例の櫓がみえた。

櫓の上に今日は誰もいない。

堀割に沿って右へ上ったところが四日市町で、川井屋はすぐその先であった。

どこかでお石の声がしたと思い、お吉は足を止めて、あたりを見廻した。

堀割をへだてた向う側、銀町のはずれの道をお石が逃げ廻っていた。それを追って五、六人の男の子、といっても、けっこう大柄のが走っている。

「お石ちゃん」

お吉が呼び、お石がこっちをみた。風呂敷包をしっかり抱いて、泣き出しそうな顔で、それでも、つかみかかって来る悪童を払いのけ、必死で逃げる。

「誰か……誰か……」

お吉は叫んだ。

「誰か来とくれ。あいつらをつかまえとくれ」

四日市町のほうの店から何人かが出て来た。

が、相手は堀割のむこうであった。

銀町の側は酒問屋の、それも大店ばかりが並んでいるので、店の中は奥が深くて表の声は届かないらしい。

「また、あいつらか……」

四日市町のほうから何人かが橋へ向って走った。

また、こちら側からの声が聞えたのか、一軒の酒問屋から人が出て来た。

お石がそっちへ逃げる、悪餓鬼の一人がその足の先へ棒を突き出した。避《よ》けようとして避け切れず、卵の箱を抱えたまま、お石がころんだ。

わあっと囃し立てて、子供達は亀島川のほうへ逃げて行った。

お吉は橋を渡り、お石の所へとんで行った。

酒問屋の手代らしいのが、お石を助け起してくれている。

四日市町の人々は逃げ去った子供達の背中にむかって罵声を浴びせていたが、追っかけてつかまえようとする者はなかった。

悪餓鬼がこの界隈の子だとわかっているからで、つかまえたところで厄介なだけであった。隣近所の店と揉め事を起したくない気持は誰にもある。

「今の子達、どこの子なんです」

お吉が訊くと、仕方なさそうに一人が答えた。

「大将は南新堀町の伊坂屋の子ですよ」

「伊坂屋っていうと、金物屋の……」

「全くどうも困った連中だ」

お石の抱えていた箱の中の卵は全部、割れていた。

お吉はお石を連れて川井屋へ行き、もう一箱、卵を買った。

「えらいめに会ったね。あいつら、疫病神みてえな連中でね」

川井屋で慰められて、お吉は大川端町へ向いながら、お石に訊いた。

「あんた、もしかして、この前の豆腐も、洗い張りも、あの連中に……」

「かんにんして下せえ」

泣きながら、お石がいった。

「なんだって、ひっぱたいてやらなかったの。今日は卵を持っていて、身動きがとれなかったんだろうが、ああいう連中は弱い者にはつけ上るんだから……」

「俺は……御主人様が、女は決して乱暴をしちゃあならねえといわれたで……」

漸く答えたお石の言葉で、お吉は、はっとした。

一カ月ばかり前だったか、「かわせみ」の台所で野良猫が魚をくわえて逃げたことがあった。お石が庭にいて、薪をつかんで追いかけたのを、たまたま、千春を抱いてそのあたりにいたるいが、女はそういうことをしてはいけないと穏やかにいましめたのを、お吉も傍で聞いていた。

「あんた、それじゃ、お嬢さんのいいつけを守って……」

鼻の奥が熱くなって、お吉はそこで決心した。お石には新しい卵を持たせて先に帰し、自分は割れた卵の箱を持って南新堀町の伊坂屋へ行った。

小僧に声をかけ、主人を呼んでもらい、つぶさに事情を述べた。

主人の安兵衛は平あやまりにあやまって卵代を弁償するといったが、お吉は断った。

「お金が欲しくて、こうやって苦情をいいに来たんじゃありません。お宅の子供さんは悪戯の度が過ぎています。このままだと、どうで、ろくなことにはなりますまい。我が子がかわいかったら、どうぞ、しっかり仕置をなすって下さい。ここらあたりじゃ、みんな迷惑しているんですから……」

それに対して、安兵衛はひたすら恐れ入った。

溜飲を下げて、お吉が「かわせみ」へ帰って来ると、間もなく伊坂屋安兵衛がやって来た。

改めて、詫びをいいに来たというので、るいは少々、困ったが、とにかく帳場へ出た。すでに事情はお吉から報告を受けている。

「この度は、悴がとんだことをしでかしまして、お詫びの申しようもございません。きつく叱りまして、二度とかようなことがないように致しますので、何卒、今度ばかりは御勘弁下さい」

といい、安兵衛は菓子箱に金包らしいのをのせてさし出したが、るいは受け取らなかった。

安兵衛はさんざん頭を下げ、せめてこれだけでもと、菓子箱を押しつけるようにして帰って行った。

「他のお子のことを、あまりとやかくいうのはやめましょう。事情がわかれば、お石にも注意して、当分、一人で使になぞ出さないようにすればいいから……」

と、るいはいったが、嘉助もお吉も、

「ああいう子供は、むしろ、いってやったほうがようございます。親に遠慮して黙っているのは当人のためになりますまい」

と口を揃えていう。

あいにく、東吾は再び、練習艦に乗って伊豆沖を巡回していた。

帰って来るのは、十日ほど後になる。

四

暫くの間、嘉助は町の噂に聞き耳を立てていた。

煙草を買いに出たり、湯屋へ行ったりする度に悪餓鬼仲間の噂をそれとなく訊いてみたりしていたのだが、

「いい具合に、ここんとこ、大人しくなりましたよ。そういっちゃあなんだが、かわせみのように、お上とかかわり合いのあるところが、がんといって下さると助かりますよ」

などと、この前の一件を知っているらしい者が話したりするのを聞くと、どうもあまりいい気分ではない。

たしかに、「かわせみ」の女主人であるるいは、その昔、父親が町奉行所の定廻り同

心であったし、嘉助はその配下であった。

神林東吾は、兄が町奉行所の与力で、八丁堀の組屋敷にいる。親友の畝源三郎も定廻りの旦那であるから、たしかに「かわせみ」はお上にかかわり合いがないとはいえないが、それと今度の一件を一緒にされてはたまらないというのが嘉助の正直な気持であった。

町内の悪童が無法を働いていれば、誰でも注意するべきだし、場合によってはこらしめる必要もある。それくらいのことは一々、お上の手をわずらわせるまでもなく、大人の分別でやってのけるものだと考えて、嘉助はちょっと可笑しくなった。

すっかり、宿屋の番頭になったつもりでいても、無意識に定廻りの旦那の配下の立場でものを判断する癖が出たと思う。

なんにせよ、悪餓鬼が鳴りをひそめたのはけっこうなことで、お吉が親にどなり込んだのも、まあ、よかったのかと胸を撫で下した。

「かわせみ」にしたところで、宿屋稼業、町内のどなた様ともいい関係を保たねばならない。

あそこは元八丁堀の住人だったから、いばっているなどと評判になるのは、るいはもとより、神林東吾のもっとも嫌うところであった。

その日、お吉は近所の湯屋へ月末の勘定を払いに行っていた。

「かわせみ」の奉公人達が行きつけの湯屋で、行く度に銭を払わなくてもよいように、あらかじめ一月分の木札をもらって来る。

奉公人達は木札をみせて湯に入り、月末には、「かわせみ」の店のほうで金を払う。

いつもは、大方、嘉助が行くのだが、他にも近所にちょっとした買い物があったので、嘉助にその旨を告げて出かけた。

湯屋は銀町なので帰り道は松平越前守の中屋敷沿いの堀割を通る。

この前、お石が悪童に追いかけられた道よりも一つ南側で、そのあたりは酒問屋の裏手であまり人通りがない。

しかし、午下りであった。

堀の水には初夏の陽が光っている。

どこかの小僧が走って来たのは、そんな時で、

「小母さんはたしか、かわせみの店の人ですね」

という。

「そうですよ」

と返事をすると、

「お宅の女中さんが、悪たれに取り囲まれていますよ。わたしは店へ知らせに行きます」

そそくさと走って行こうとする。

「お待ち、それはどこ……」

お吉が訊くと、

「むこうの櫓の近くです」

後もみずにかけ出した。

あとで考えると、ここでお吉は少し変だと思うべきだったのかも知れない。

だが、それより前に、お吉はかっとなった。

例の悪童どもが、お石をいじめていると思ったからで、裾を蹴散らかして、櫓のある空地へとんで行った。

たしかに、櫓の上に子供が登っている。梯子段の下にも二、三人がかたまっていた。

「ちょいと、お前達、うちのお石に何をした。今度ばかりはただじゃおかないよ」

どなりながら近づくと、子供達は面白そうにこっちを眺めている。

「うちのお石はどこだい」

と訊くと、大柄でひどく人を食ったような顔をしたのが、櫓の上を指す。櫓が高いので上に何人かいるのがわかるが、お石はその連中に囲まれているのかとお吉は思った。

「まあ、なんてことを……お石ちゃん、下りといで……あたしが来たから、もう心配はいらないよ」

梯子段を二つ、三つ上りかけて声をかけ、お吉がぎょっとしたのは、すぐ背後にいた大柄のが、懐中から手拭を巻きつけた出刃庖丁を取り出したのに気がついたせいである。

「上りなよ。威勢のいい小母さん……」

低い声は子供のようではなかった。

「俺のいう通りにするんだな。さもないと、こいつが小母さんの土手っ腹へずぶりだぜ」

「お前、なんてことを……」

こんな子供にと思いながら、お吉は止むなく、ふりむいた恰好のまま、梯子段を上りはじめた。

出刃庖丁を握っている男の子の顔には、狂気のかげがある。

その頃、お石は「かわせみ」の裏木戸の外を掃いていた。

この季節、夏落葉がひどい。朝掃いても、風があると午すぎには元の木阿弥であった。

せっせと竹箒を動かしていると、

「大変だよ、ねえちゃん」

男の子が呼んだ。

「金物屋の安吉が、ここの小母さんを櫓へひっぱって行ったんだ。親にいいつけやがった怨みを晴らすんだと……」

お石は走り出した。

大川端町を通り抜け、息を切らして空地へ向った。

お石にしても逆上していた。板前や嘉助に声をかけるのを忘れている。それに、卵さえ持っていなければ、少々、乱暴してもかまわないのならば、腕には自信があった。あんな江戸育ちのひねこびた子供なんぞ、やっつけるのはなんでもない。

だが、櫓の下まで来て、あっと思った。

出刃庖丁をお吉にむけた男の子が梯子段の中程にいる。

「おい、山出しの猿公《えてこう》」

上から安吉がどなった。

「この小母さんを殺したくなかったら、上って来い」

「来ちゃあいけない」

お吉の声が聞えた。

「来るんじゃない。あんたは早く逃げて……」

お石は無言で梯子段に足をかけた。

「よし、猿公……ついて来いよ」

安吉が出刃庖丁をひらめかしながら、お吉を櫓の上へ追い上げた。

上にいた子供が二人がかりでお吉を縛り上げた。

「なにするんだ」

お吉は猛然と反撃に出たが、

「小母さんよ。下手にあばれると、この子をぶっ殺すぞ」

安吉が出刃庖丁をお石に向けたので、抵抗が出来なくなった。

お石は出刃庖丁を見据えたまま、櫓の上へ登り切った。安吉に並んで立つと、背は同じくらいだが、骨格はお石のほうがずっとたくましい。

安吉の表情に、ほんの僅か怯えが走った瞬間、お石の右手が安吉の出刃庖丁を握った手を逆に取ってひねり上げた。

「痛てえ」

情ない声を上げげ、安吉の手から出刃庖丁がはじけ飛んで櫓の下へ落ちて行った。

「手前ら、なにをぼやっとしてやがる。つかまえろ、ひっぱたけ……」

安吉がどなって、二人の子がお石に武者ぶりついた。お石が苦もなく、その二人を突きとばす。そこへ安吉が体当りした。流石にお石はよろけてお吉の前へ、それでもお吉をかばって立ち直ろうとした。

三人の子が、いっせいにお石にとびつき、お石とお吉の体が櫓の手すりにぶち当った。手すりが、はずれた。

お吉の体が、櫓からすべり落ちるのを、お石は必死で摑んだ。それは、子供達がお吉をがんじがらめにした縄であった。お石はもう一方の手で櫓の柱にしがみついた。

お吉の体は完全に櫓の外にぶら下っている。

安吉が、一人の子の持っていた竹竿を取った。

力まかせにお石をなぐる。

頭は首をふって避けたが、肩をなぐられ、腕をなぐられた。

「お石、あたしをお放し、かまわないから、手を放すんだ……」

お吉が下から叫んだが、お石はまっ赤な顔をしたまま、縄を握りしめている。

「この猿公……」

安吉が足を上げて、お石を蹴った時、下にいた子供が叫んだ。

「役人が来たぞ……」

五

運よく町廻りで通りかかった畝源三郎にお吉とお石の危急を知らせたのは、最初にお吉を誘い出した小僧だった。

安吉の父親の店で働いていた定次というのが、安吉に脅されて、手先に使われたのだったが、自分のしたことを考えると怖《おそろ》しくて店にも帰れず、霊岸島町をうろうろしているのを、挙動不審とみた源三郎が声をかけ、定次は慄え上って白状した。

お手先が安吉を取りおさえ、源三郎が自分で声をかけながら櫓へ上って行くと、お石は蒼白になりながらも、お吉をしっかりぶら下げていた。その腕は肩のあたりから全く感覚がなくなっていたに違いないのに、それでも指先は縄と一つになったようにお吉を支え切っていたのだと、これは、その日、「かわせみ」へ来ていて、お石の怪我の手当をした麻生宗太郎が感動して話した。

「なみの女の子なら、肩の骨は砕け、腕の骨が折れているところですよ。お石さんの骨は太くて、しっかりしていて、しかも弾力がある。おまけに筋肉が強いから、この程度の怪我ですんだのです。やはり、女でも身体を鍛えておくのは大事ですね」

宗太郎の手当がよかったのは勿論だが、お吉のつきっきりの看病の効果も馬鹿に出来ない。なにより、若い、健康な体は回復が早くて、「かわせみ」のみんなは、やっと愁眉を開いた。

悪餓鬼仲間に対するお上の処置は、子供だからと甘やかすことはなかった。

安吉の口から仲間の名前が白状されると、一人残らず番屋へ曳かれて畝源三郎の取調べを受け、そのまま、牢送りになった。

子供達の親はこれも奉行所に呼び出されて、きびしい吟味とお叱りを受けた上に、その日は牢泊りにされた。

その結果、子供達は二つに分れて、いずれも戒律のきびしいことで有名な藤沢、鎌倉の寺にあずけられ、三年間、修行をさせられることになり、安吉だけは子供ながらにあまりにも悪質というので、島送りと決定した。

「一つ間違えば、お吉もお石も殺されていたんだ。まあ源さんがきびしい裁きをと願ったのも無理じゃないな」

親も子も、これで少しは反省するだろうといった東吾が、すっかり元気になったお石に、はげますつもりでこう告げた。

「そりゃあ、うちの内儀さんのいう通り、女に乱暴は似合わない。しかし、女だって無礼なことをいわれたら、黙っていることはないんだ。かまわねえから、いいかえしてやれ。たとえば、そこにいる板前の弥之助が、お前のことを山出しの猿公なんぞといいやがったら、板場の弥ぁ公、鬼より怖い、馬鹿で間抜けでへそまがり、とでも囃してやるんだ」

人のいい華板が首をすくめた。

「御冗談でしょう。若先生、あっしはお石ちゃんのことを山出しとも、猿公ともいったことはありませんや」

そして何日か後。

東吾は千春を遊ばせて井戸端にいた。

大きな桶に水を汲み、そこに笹舟を浮べていると、もの凄いお石の罵声が聞えて来た。

「この野郎、なにぬかすだ。人馬鹿にして。もう一ぺんいってみるだ。ぶっ殺して牛の餌にするだぞ」

東吾が垣根のむこうをのぞいてみると、仁王立ちになっているお石の前で、出入りの魚金の倅の三吉が片手を上げてあやまっている。

「勘弁しとくれよ。お石ちゃん……」

「俺は山出しの猿公じゃねえぞ」

東吾が顔を出すと、三吉はいよいよ慌てた。

「勘弁して下さいよ、若先生。俺は、その、山出しのねえちゃん、ちっとは江戸に馴れたかいって……」

とたんにお石が威勢よく歌った。

「魚金の三公、鬼より怖い、馬鹿で間抜けで、へそまがり……」

勝手口でるいとお吉が笑っている。

魚金の三吉があたふたと逃げ出して行き、お石は何事もなかったように、裏庭を掃きはじめた。

空には鳶《とび》が、ゆったりと舞っている。

女師匠《おんなししょう》

一

その日、お吉が深川へ出かけて行ったのは、門前仲町の足袋屋で主人が還暦を迎えた祝いに、一日だけ大安売りをすると聞いたからであった。

「安物買いの銭失いというのだから、おやめなさい。混雑する所へ出かけて人に突きとばされたりして怪我をしたら、とりかえしがつかないでしょう」

と、るいが口を酸っぱくしていうものの、一向にお吉の大安売り通いはやまず、

「全く、お吉さんにも困ったものだ。いくら安いといったって、すりこぎ十本買って来てどうするつもりだね。こんなものは一本ありゃあ、一生、味噌でも胡麻でも擂《す》れるだろうに……」

と番頭の嘉助まであきれ顔をしている。

それでも安売りと聞くと、朝から居ても立ってても落ちつかなくなって、

「まあ品物が悪かったら買わずに帰って参りますから……」

そそくさと勝手口をとび出してしまう。

三河屋という足袋屋は以前からるいの贔屓にしている店で、顔見知りの番頭が、

「よい日にお出かけ下さいました。いつも、お買い上げ下さいますのと同じ品が、今日は三割引でお求め頂けますので、どうぞお好きなだけおっしゃって下さいまし。のちほど、小僧がお届け申します」

といってくれたので、るいと東吾の分にはいつもの上等の品を、それより安い自分達のも含めて、およそ半年は間に合いそうなだけ買い込んだ。

なにしろ、三割引だから、かなり得をした気分で、ついでに近くの団子屋へ寄って串団子をと、三河屋に行列している人々をかき分けるようにして表へ出たとたん、

「危いじゃないか」

どすんと人にぶつかった。

はっとしてふりむくと十五、六の娘が投げ出されたような恰好でころんでいる。

「ごめんなさいよ。まあ、怪我はないかね」

慌ててお吉が近づこうとすると、一緒にいたもう一人の娘がきゃんきゃん叫び出した。

「大変だよ。お前、折角、買った饅頭が泥んこだ」

たしかに、ころんだ拍子に放り出してしまったのか、饅頭の包みが地面に落ちていて、

ころげ出した饅頭が土の上に散らばっている。

「ああ、鼻緒は切れちゃったし、着物も汚れちまったし、おっ母さんになんていうのさ。きっと、すごく叱られるよ」

まだ、地べたにすわり込んだままの娘のまわりを廻りながら、お吉に対して、

「ちょいと、小母さん、どうしてくれるのさ」

睨みつけた。

お吉は咄嗟《とっさ》に帯の間から自分の巾着を出した。せめて饅頭代でも払ってやろうと思ったからだったが、その巾着を娘があっという間に取り上げた。すばやく一分銀を一つつまみ出して巾着をお吉に返す。

「足りやしないけど、これだけもらっておくよ」

ころんだ子が素早く饅頭を拾い集め、二人が一緒に雑踏の中を走り去った。

虚を突かれた恰好で、お吉は僅かの間、ぼんやりしていた。気がつくと、まわりの人がみんなお吉を眺めている。三河屋からも人が出て来る様子なので、慌ててお吉はかけ出した。逃げるように永代橋まで来て、ほっと息をついてから、なんだかおかしいと思った。

どうも自分のほうから娘にぶつかったような気がしない。たしかに出会い頭だったが、お吉が娘を突きとばしたのではなかった。

むしろ、娘のほうがぶつかって来た感じがする。要するに、はずみで娘はころんだの

だと判断した。馬鹿馬鹿しいと舌打ちして、同時に一分取り上げて行ったもう一人の娘の厚かましさに腹が立った。

着物の汚れは、はたけばなんとかなるだろうし、饅頭代と下駄の鼻緒代で一分というのはべら棒すぎる。

しょんぼり帰って来るお吉を、たまたま「かわせみ」の前で嘉助と立ち話をしていた東吾がみつけた。

「おい、どうかしたのか」

東吾に声をかけられて、お吉は早速、門前仲町での一件を話した。

「そいつは、お吉さん、ゆすりたかりじゃないかね」

といったのは、一緒に聞いていた嘉助で、お吉はまさかと手をふった。

「二人とも、かわいい娘さんだったんですよ。まだ十五、六の……」

どなった娘の口の悪さには驚いたが、どっちの娘も、まだ子供っぽさの残っている器量よしであった。

「みかけなんざ、あてにならねえ。この節の若え娘には、とんでもねえあばずれがいると、長助親分から聞いたばかりだ」

それでもお吉は笑っていた。

「あたしがどじだったんですよ。あの娘さん、膝っ小僧ぐらいすりむいていたかも知れない。気の毒なことをしちまった……」

勝手口へ入って行くお吉を見送って、東吾がそっと嘉助にいった。

「一分、取り上げる手口は玄人だな」

「どうしようもねえ悪いのが増えて来たそうですよ。金に困ってもいねえのに、万引をやらかしたり、ゆすりまがいのことを平気でやってのける。世の中どうなっちまったのかと思うような昨今だと、長助親分がこぼしていましたが……」

お吉がひっかかったのは、そういう連中に違いないと嘉助は断定した。

その嘉助の言葉が裏付けられたのは、夕方になって深川の長助が若い娘を二人伴ってやって来てであった。

「申しわけございませんが、お吉さんにちょいと、この二人の首実検をしておもらい申したいんで……」

長助が恐縮しながら頭を下げ、嘉助はそれだけで万事を察したが、黙ってお吉を呼びに行った。

出てきたお吉が長助をみる前に二人の娘へ視線が届いて、

「おやまあ、あんた達、さっきの……」

といいかけるのを長助が制した。

「お吉さんから一分、むしり取ったのは、この二人に間違いございませんか」

「むしり取るだなんて……でもまあ、勝手にあたしの巾着から一分持って行っちまったには違いありませんけどね」

長助が二人の娘の中《うち》、やや年かさのに命じた。

「さあ、こちらさんにあやまれ。二度とゆすりたかりは致しませんと、手を突いてあやまるんだ」

娘が頰をふくらませた。

「あたしは、別にゆすりもたかりも働いちゃあいませんよ。お鹿がこの小母さんにぶつかってころげて、小母さんがかわいそうだから銭を下さるっていうから頂いたんで……ただ、それだけのことじゃあないか。ねえ、小母さん、そうだろう」

娘の威勢に気を吞まれて、危うくうなずきそうになったお吉が、はっと気をとり直した。

「だけど、あんた、ぶつかって来たのは、この子のほうなんだよ。それに、一分取ってったのはあんたで、あたしが出したわけじゃない。大体、饅頭や下駄の鼻緒がいくらすると思ってるのよ」

「じゃあ、これはお返ししますよ」

娘が一分銀を板の間へ投げ出した。

「返しゃいいんだろう。返しゃあ……」

「この野郎、なんてえいい草だ」

「小父さん、あたしは女だ。野郎じゃねえんだよ」

娘が憎々しげに店を見廻した。

「ふん、お役人のなれの果がやってる宿屋だって、のさばり返るなよ。お鹿、行こう」

黙っているもう一人をうながして、とっとと店を出て行った。

「おい、待ちな」

長助が慌てて追いかけようとするのを嘉助がとめた。

「親分、放っといたほうがいい。どうせ、話してわかる連中じゃなかろう」

「どうにもこうにも、ふてえ連中で……」

長助は頭から湯気が立つほど怒っていた。

「いったい、どこの娘なんだね」

嘉助がなだめ役に廻り、お吉は帳場の脇にある長火鉢の傍で茶をいれた。

「お吉さんの巾着から一分取り上げたのはお照っていいましてね、深川のます梅っていう料理屋の娘なんです」

「なんだってそんな家の娘が……」

お吉が仰天し、長助がぼんのくぼに手をやった。

「一人娘で親は金に不自由させてねえっていいやがるんですが、娘のくせに悪餓鬼の大将でさあ」

子供の時から手癖が悪く、万引の常習犯だが、苦情が来ると親が金を持ってあやまりに行くし、同じ町内のことなので、まず表沙汰にはならない。

「当人はそれでいい気になりやがって、悪態はつく、手下を使って悪戯《わるさ》はする、とても素人娘のやることとは思えませんや」

今日、お吉がひっかかったように、仲間をわざと人にぶつからせておいて派手にころび、因縁をつけて金をひったくる。

「今までにも何人が銭を巻き上げられたか。今日は三河屋の手代がみていまして、あっしのところへ知らせたんで、早速、とっつかまえたんですが……」

もう一人のお鹿という娘は父親が船頭、母親は「ます梅」で女中をしているといった。

「こっちも、けっこう性悪で、一度、深川の桶問屋へ女中奉公に行ったんですが、へっついに火を焚いていて、表に猿廻しが来たってんで見に行っちまったすきに火が羽目板へ燃え移って、まあ、別の奉公人が気づいて消し止めたんで大事には至りませんでしたが、お店《たな》のほうはしくじっちまいまして、親はうっかり奉公に出すととんだことだからってんで家へおいています。そんなこんなで、ぐれちまったんですが……」

渋茶で、お吉が台所から持ってきた饅頭を一つ食べ、長助は浮かない顔で深川へ帰って行った。

「なんだか、近頃の娘はおっかないんですねえ」

お吉は首をすくめ、一分銀を巾着にしまって、ことの顚末をるいには報告しなかったのだったが、翌日の夕方、たまたま、るいが到着した客へ挨拶をして、宿帳を帳場へ戻しに来た時、暖簾をくぐって中年の女が入って来た。

厚化粧だが身なりは悪くない。

「深川のます梅でございますが、こちらの御主人様はお出でじゃござんせんか」

　やや切り口上でいわれて、るいはなんの気なしに、

「なにか御用でございますか」

と訊いた。

「あんたさんが、こちらの御主人で……」

「はい、左様でございますが……」

「お吉さんというのは……」

「手前どもで働いて居りますが……」

「お吉さんに、手前どもの娘がとんだ粗相をしたそうで、長寿庵の長助親分から、そりゃあきびしいお叱りを受けました。何分、子供のやったことでございますんで、どうか、お目こぼしを願います」

　これはお詫びのしるしにと菓子折を出されて、あっけにとられたるいに代って、嘉助が慌てて口をはさんだ。

　これこれでと、嘉助が要領よく事情を話して、るいは納得した。

「左様なこととは存じませんで、失礼を致しました。私どもでは娘さんのなすったことを、とやかくお上に申し上げたわけではございません。お金はお返し下さったそうで、話はすんで居りましょう。どうぞ、これはお持ち帰り下さいまし」

　きりっとしたるいの挨拶に、相手はひるんだ。

ここは並みの旅籠ではなかった。るいにしても、元武士の娘であり、夫は立派な直参だという誇りがある。まして、嘉助は相手の出方によっては、聞き捨てには出来ないという意志を顔にも体にもみなぎらせて、じっと様子を窺っている。

客商売だから、流石にそういった気配はわかったのだろう。矢庭に菓子折をひっつかむとあたふたと入口を出て行った。

「全く、なんてえ口のきき方ですかねえ。親があれじゃ娘だって……」

嘉助がいいかけた時、入口に人影が立った。

「驚いたぜ。いったい、何があったんだ」

東吾の顔がのぞいて、るいが立ち上り、嘉助が土間へ下りた。

「今、ここから出て来た女が、いきなり菓子折みてえな奴を、川へ叩き込んだんだ。随分、派手なことをしやあがるんで、その辺の連中があっけにとられて眺めていたよ」

二

「深川のます梅っていう料理屋のお内儀《かみ》さんなんですよ」

東吾が居間に落ちつくと、早速、るいはお吉を呼んだ。

三河屋の店先で、これこれこういうことがあったそうだがとるいに切り出されて、お吉は止むなく一部始終を白状した。

「そんなことがあったなんて、あたしにいわないから、危うく恥をかくところだったじゃないの。かわせみが世間の噂になったら、うちの旦那様のお顔にかかわるんだから、気をつけておくれといつもいっているのに……」

るいに叱られて、平蜘蛛のようになったお吉に、東吾がいつものように助け舟を出した。

「俺の顔なんざ、どうってことはないが、娘の不始末をあやまりに来たにしちゃあ、あの内儀さん、えらい剣幕だったなあ」

「大方、長助親分に注意でもされて、しょうことなしに来たんですよ。本気であやまろうなんて気はないにきまってます」

お吉が早速、しゃしゃり出て、

「あなたは、なんにもいう資格がありませんよ」

ぐいと、るいに睨まれた。

もとより、それでくじけるお吉ではなく、

「大体、親の躾が悪いから、あんな出来そこないの娘になっちまったんですよ。長助親分がいってました。お金に不自由してないのに万引なんぞやらかすってのは、やっぱり、家の中がまともじゃないせいですよ」

と、口をとがらせる。

「十五、六っていえば、普通の娘は琴や三味線、踊りの稽古、それにお針だ茶の湯だって嫁入り修業に一番いそがしい時じゃありませんか。悪い仲間とつるんで歩く暇なんぞございますまいに……」

お吉はいよいよ調子にのってまくし立て、るいは根負けしたように千春を抱いて立ち上った。

「ほんに、ここの家の人達は子供の前で、ろくでもない話ばかり。宗太郎様がおっしゃいましたよ。女の子は小さい時から、きれいなものを見せ、きれいな言葉を聞かせて育てるのが一番大事ですって……」

母親の腕の中で、千春がきゃっきゃっと笑い、お吉は今度こそ本当に尻尾を巻いて台所へ逃げて行った。

二日ほどして、東吾は軍艦操練所の帰りに深川へ出た。

別になんというほどのことではないが、長助が先日の一件を気にしているのではと思ったからで、佐賀町の自身番の前を通りかかると、番屋の戸が開いていて、畝源三郎と長助の姿がみえた。

で、御用の邪魔にならないように、そっと近づいてみると、源三郎の前に三十そこそこだろうか、品のいい女が神妙にうつむいている。

「しかし、お師匠さん、今のまんまじゃ、他の子供が次々とやめてしまう。やっぱり、二人の子供の親によくいってやって、行いを改めねえなら、もう来るなぐれえのことはいってやらねえと……」

長助が当惑したようにいい、それに対して向い合っている女が低く、しかし、しっかりした声音で答えた。

「御心配下さるお気持は本当にありがたいのでございますが、お鹿ちゃんはともかく、お照さんの気性では、来るなといえば意地になって通って来ます。犬や猫ではございませんので、追い払うわけにも参りませず……」

「ですから、そこのところを、旦那から町役人にでも話してもらって……」

「左様な大袈裟なことになっては御町内の方々に申しわけがありません。それに一度は親御さんからお頼まれして、どうぞお出で下さいと申しました以上、私にも責任がございます。お照さんには折をみて、よく話をしてみるつもりで居りますので……」

畝源三郎が口を開いた。

「たしかに、師匠たる者の立場から申せば、左様に考えるのが当然でもあろう。ただ、如何に話しても聞きわけのない場合はそれなりに対処するのも止むを得ぬこと。手に余る場合は、この長助へなりと声をかけるがよい。決して悪いようには致さぬ」

「ありがとう存じます。お心をわずらわせまして、あいすまぬことでございました」

丁重に頭を下げ、女は自身番を出て行く。

源三郎が羽目板のほうをふりむいた。

「東吾さん、おまたせしました」

「なんだ、気がついていたのか」

「障子に影が映っていますよ」

「いったい、なんだ。あの女は……」

「寺小屋のお師匠さんだそうです」

源三郎が上りかまちに腰を下し、長助が東吾のために腰かけを動かした。

「杉江さんといいまして、もともとはあの人のお父つぁんが寺小屋をやっていたんですが、昨年の夏に歿りまして、その後を杉江さんが教えていなさるんで……」

二人分の茶を番太郎から受け取って各々の前へおいた。

「まあ、あれだけしっかりしていりゃあ、お師匠さんがつとまるだろうな」

江戸の寺小屋は女師匠が多かった。無論、全体の数からいえば、男の師匠のほうがやや上だが、男三人に女二人くらいの割合だから如何に女師匠が目立ったかがよくわかる。

一つには、寺小屋へ通って来る子供の親は大方、商人か職人で、武士の子弟というのはまず滅多にいない。

男の子は十歳を過ぎると大抵、小僧にやられるので、寺小屋へ通って来られなくなるが、女の子は十五、六まで読み書き、算盤を習いに来る。従って、子供の数も圧倒的に女が多いのであった。

「あのお師匠さんはお針も達者なんです。お父つぁんが生きてなさる時分から、あっちこっちの縫い物を頼まれて、布団の仕立なんぞも玄人はだしだって評判で……。ですから女の子の弟子がそりゃあ多かったんですが」

その子供の親達から長助のところへ訴えが来た。

「例のお照とお鹿……先だってお吉さんも、そいつらに目をつけられて、ひどい目に遭ったんですが、二人とも、あのお師匠さんの所へ通って来てまして、お師匠さんのみてなさる前では神妙にしてるんですが、ちょいと目が届かないと弱い者いじめはする、お針道具は取り上げて返さねえ。やれ、手習草紙をかくしちまう、新しい着物を着て来るときまって墨をなすりつける、どうしようもねえんだそうで、子供達もお師匠さんの所へは行きてえが、あの二人がいるんじゃ怖くて行けねえと親に泣きついたそうです」

で、それとなく長助が様子を窺ってみると、これが相当の悪で、杉江のほうも注意していて、みつけるとすぐに叱言をいうのだが、まるっきり馬鹿にして、いうことをきかない。

「なにしろ、いうことが憎々しいんで、俺の親が金を出しているからこそ、お師匠さんは飯が食って行けるんだ。えらそうなことをいうな、と、まあ、こういった案配なんでして……」

長助もみかねて、お照とお鹿を破門にするとか、町役人に口をきいてもらって、親に注意させるとか、畝源三郎に訴えるよう杉江を連れて来たのだが、肝腎の杉江がどうも煮え切らない。

「女のことですから、町内で揉め事を起すのはいやだって気持もわからなくはありませんが、あれじゃ、あの人の寺小屋へ通って来る子がなくなりますんで……」

と人のいい長助は心配している。

「杉江って女師匠は独り身なのか」

と東吾が訊き、長助がうなずいた。

「十年ほど前には、嫁に欲しいって話が随分あったようですが、父親一人を残して嫁に行く気になれなかったんでござんしょう。なにしろ、おっ母さんを早くになくして、お父つぁんが男手一つで育てたそうでして、仲のいい父娘《おやこ》でござんした」

話しながら、長助はほろりとしている。

「そういえば、ます梅のお内儀って女がやって来たんだ」

「かわせみ」へあやまりに来て、受け取らなかった菓子折を近くの川へ投げ込んで去ったと東吾が話すと、長助は目を丸くした。

「さぞかし、御無礼なことを申し上げたんじゃございませんか」

「うちの内儀さんはなんにもいわなかったが、嘉助の話だと、あやまる筋もないのにあやまりに来させられた。たかが子供のしたことを大袈裟にさわいでといった感じでね、とてもじゃないが、菓子折をありがとうございますと受け取れる気分じゃなかったんだそうだ」

源三郎が長助に訊ねた。

「ます梅のお内儀というのはどんな女なのだ」

「あんまり利口とは申せませんようで……吉原で新造をしている時分に、ます梅の主人が熱くなって落籍《ひか》して女房にしたって話です。玄人あがりは焼餅がきついそうですが、ます梅の亭主も遊び人で、つい近まに深川の芸者を囲ってまして、殆どそっちに入りびたりだとか。まあ、そんなこんなで頭に血が上っているんだろうとは思います」

「娘の出来が悪くても仕様がねえな」

東吾が呟き、

「もう一人のお鹿ってのはどうなんだ」

と訊いた。

「父親は助造といいまして、船頭です。女房はおかねと申しまして、こっちはます梅の女中をして居りますんで……」

「母親がます梅の奉公人だから、お照のいいつけにそむけねえでいるんだな」

「それもあるとは思いますが、この子のほうも親がまともじゃございません。働く時はよく働くんですが、夫婦そろって賭事が三度の飯より好きって連中で、有り金残らず富くじを買っちまって今日は谷中だ、明日は湯島だと富突きをみに行ってますが、当ったためしはなしでして……さもなければ賭場へ入りびたっているか、仲間と花札をひいているかですから、夫婦で稼いでいるにしては年中、火の車で……」

東吾が自身番を出て、奉行所へ帰る源三郎と永代橋の近くまで来ると派手な女の声が聞えた。

「さあお開帳だよ、お開帳、いい女の弁天様だ。おがみたけりゃ、お賽銭供えて、好きなだけのぞいてみな」

叫んでいるのはお照で、その隣にお鹿が泣き出しそうな顔で着物の裾をきわどい所までめくり上げて立っている。

「そこの爺さん、鳩が豆鉄砲くらったような顔してないで、一朱供えてめくってごらん、十年がとこ若返るよ」

立ち止った男達が顔を見合せて笑っている。

「金がねえのか、意気地がねえのか、情ねえのが揃ってやがる。おい、みたけりゃみせてやろうじゃねえか」

お鹿の着物の裾に手をかけたお照の目が、自分へ向って走って来る畝源三郎を捕えた。

「畜生、いやな野郎が来やがった」

野次馬を突きとばしてお鹿ともども、夕闇の町をかけ去った。

三

月の終りに、兄の屋敷から使があって、いつでもよいから都合のつく時に寄ってもらいたいとことづけがあった。

珍しく非番で家にいた東吾が早速出かけて行くと、通之進はまだ奉行所から戻って居らず、すっかり飾りつけの出来た五月人形を前にして兄嫁の香苗が麻太郎とくつろいでいた。

「これは、なつかしいですな」

思わず東吾が目を細くしたのは、飾られている鎧も冑も、亡き父が通之進と東吾のために買い求めてくれたもので、その下に並んでいる金太郎や鍾馗《しょうき》の人形も長年、それを前にして兄と柏餅を食べた思い出につながっている。

どれも歳月を経て、それなりに年代を感じさせる飾り物の中に、真新しい馬の人形があった。

本物そっくりに出来ている白馬は色鮮やかな馬具に彩られ、精緻を極めて作られた鞍や鐙《あぶみ》など、まことに見事であった。

「それは旦那様が、麻太郎にとお求めになりましたの。麻太郎もとても気に入って……」

香苗のいう傍で、麻太郎が目を輝かした。

「父上が、私の馬術が上達したとお賞め下さって、それで買って下さいました」

「そうか、麻太郎は馬術の稽古もしているのだな」

「はい」

「馬は怖くないか」

「最初は少し……、でも、今は怖くありません」

香苗が茶と柏餅を運んで来た。

「まだ、お節句には少し早いのですけれど」

三人で柏餅を食べ、麻太郎は東吾に馬術の話を聞いてもらい、千字文の習字帳をみせた。

「兄上の御用はなんでしょう」

あっという間に時刻が過ぎて、東吾は義姉に訊ねた。

麻太郎と過す時はこの上もなく楽しいが、自分はあくまでも叔父だというけじめをつい忘れそうになるのが心もとない。

「これを、長寿庵へ届けて頂きたいと仰せられましたの」

極上の砂糖が木箱に入っている。

「いつも蕎麦粉など、心にかけてくれて、せめてものお返しのつもりですけれど……」

「それは喜びますよ。これだけ上質のものはなかなか買えるものではありません」

庶民の手の届く品物ではなかった。

「到来物なのですよ。私が持参すると申しましたのですけれど、むこう様が迷惑すると旦那様がおっしゃいますの」

「それはそうですよ。長寿庵に義姉上が行かれたら長助が腰をぬかします」

以前、東吾を訪ねてこの屋敷へ来た長助が、たまたま自分で茶を運んで来た香苗をみて、まるで話にきく天女様か観音様かと暫く、ぼうっとしていたのを東吾は思い出した。

兄の屋敷を辞して、東吾が深川の長寿庵へやって来ると、麻生宗太郎が蕎麦を食べていた。

「驚いたな。旗本の殿様が長寿庵で蕎麦を召し上るってのは前代未聞だぞ」

と東吾が笑ったのは、この春、麻生家では当主の麻生源右衛門の隠居届が認められて、正式に宗太郎が麻生家を相続したのを知っていたからである。

「そういう野暮なことはいいっこなしにしましょう。肩書と内身《なかみ》は、なんの関係もありません」

笑っている宗太郎は相変らず、どこかの患家を廻って来たらしく、薬籠を横において せっせと箸を動かしている。

「若先生」

奥から長助がとんで来た。

「気がつかねえで申しわけありません。ちょいと上に杉江さんが来てなさいまして……」

東吾は長助の微妙な表情に気がついた。

「寺小屋の女師匠か」

「お照とお鹿を連れて来てまして……」

奥の小座敷のほうで蕎麦を食べているといった。

「二人がまた何かやらかしたのか」

「いえ、やらかしたのはお照だけで……」

今日、杉江の家の仏壇に供えてあった金をお照が盗んだのだといった。

「そいつは子供達が持って来た指南料で、いつも仏壇に供えておくんだそうです」

「お照が盗《と》ったと、どうしてわかった」

「みていた子がありまして、すぐお師匠さんに告げたところ、お照がその子をなぐりつけて、いやもう、えらいさわぎだったようでして……」

手習どころではなくなって、杉江は子供達を帰し、お照の落ちつくのを待って長寿庵へお鹿と一緒に連れて来た。

「まあ、午どきを過ぎて居りましたし、蕎麦でも食べさせながら、じっくり意見をしようってことだと思いますが、そんなことで改心するような子じゃございません」

長助はすっかりお照を見限っている。

東吾が兄嫁からあずかって来た砂糖を長助一家はひたすらもったいながった。

「あっしらの口に入れるようなものじゃございません。罰が当ります」

と辞退するのを、

「まあ、そういうな、折角の兄上の心持だ。小豆でも煮る時に使ってくれ」

と東吾がいい、

「このくらい上等の砂糖は疲れた時によく効きますよ。ちょいとつまんでなめてもよいし、餅や飯にふりかけても女子供は喜びます。薬がわりにおいておくと便利ですね」

宗太郎が智恵をつけた。

木箱は長助の女房が押し頂いて神棚に供え、東吾は蕎麦を勧められたが、

「今は腹がすいていないんだ。それより熱い蕎麦湯をもらいたいな」

と注文した。長寿庵の蕎麦湯の熱々を、そのまま何も入れずに飲むのが好きだと知っていて、長助の倅が早速釜場へ行った。

ちょうどその時、小座敷から杉江が出て来た。神妙なお鹿と、むくれた顔のお照がその後に続いて、杉江は土間の所で長助の女房に蕎麦の代を払って居た。そして、長助の倅が熱々の蕎麦湯を入れた湯桶《ゆとう》を持って、東吾達のほうへ行きかける。いきなりお照が湯桶をひったくった。あっという間に杉江へ向けて湯桶がとんだ。

四

杉江は顔半分から咽喉にかけて熱湯を浴び、湯が胸に流れ込んだ部分まで火傷《やけど》を負った。

幸いだったのは、店に麻生宗太郎がいたことである。

宗太郎の処置は敏速であった。

水で熱湯を洗い流し、そのあともまわりが仰天するほど冷水を火傷にかけ続け、冷湿布を続ける。

「大丈夫なんですかね」

長助が不安そうにいったが、東吾はこの名医を信じていた。

水で患部を冷やし続けながら、宗太郎は紙にいくつかの薬の名を書いたものを長助の倅に持たせて、麻生家へ取りにやった。

薬を持ってかけつけて来たのは、なんと、宗太郎の弟の宗二郎であった。たまたま、麻生家へ来ていたもので、

「こいつは凄いぞ。大名の奥方が火傷したって、これだけの医者は集まらねえ」

東吾がほっとしたように呟いた。

杉江の体は、長寿庵からすぐの自宅へ移されて、宗太郎兄弟の手当が続けられた。

「東吾さん、心配しなくて大丈夫ですよ。餅は餅屋におまかせなさい」

すっかり手当が終って、宗太郎がいい、今夜は長助の女房が泊り込んで看護をすることになった。

「男がうろうろしていると、かえって邪魔になるのです」

宗太郎が憎まれ口を叩き、止むなく東吾は帰ることにしたが、お鹿がまっ青な顔で宗太郎に命じられるままに、水を汲んだり、薬を煎じたりしているのに、お照の姿はどこにもみえなかった。

「かわせみ」へ帰って来て事情を話すと、

「だから、いわないことじゃありません。あんな、ろくでなしの娘を弟子にしていたら、何が起るか知れたものじゃないんです。いくら寺小屋のお師匠さんだって、そこまで面倒はみきれませんよ」

お吉がまっ赤になって怒った。

るいも眉をひそめて、

「火傷が痕にならなければよろしゅうございますが……」

と心配する。

東吾は落ちつかなかった。よりによって自分が熱い蕎麦湯なんぞを注文しなければという気持がある。

翌日、長助が知らせに来た。

杉江が大火傷をした一件は深川中の評判になっているが、杉江は自分の粗相で熱湯をかぶってしまったと町役人に答えたという。

「お照の仕業だってのは、あの時、店にいたみんながみていますんで……」

長寿庵にいた客の中には深川の者もいて、口々に、その時の様子を誰彼なしに喋りまくっている。

「ですが、火傷した当人がお照の仕業じゃねえっていいますんで、町役人も弱って居ります」

「お照はどうした」

「そいつがけろっとした顔で家に居ります」

「親は……」

「娘に訊いたら、自分がやったんじゃねえといっているって平気で近所に話したってんで、町内中が、かんかんに怒ってまさあ」

杉江は今のところ、寝たきりだが、宗太郎は毎日、通って来てやるといっているし、町内の女どもが交替で世話をするから、その点は心配ないと長助はいった。

東吾が深川へ出かけたのは、更に三日が過ぎてからで、長助から杉江がもう起きていて、少しずつ家の中の用事をしてもよいと宗太郎から許しが出たと聞いてからであった。

るいが見舞に持って行けと用意してくれた水羊羹を持ってまず長寿庵へ寄り、長助の女房と一緒に杉江の住いへ行ってみると台所でお鹿が米をといでいた。

今、宗太郎が来て薬を取りかえているというので、東吾は外に立っていた。

長助の女房は、宗太郎のために桶に水を汲み、手を洗ってもらうよう支度をしている。

「東吾さんですね。もう終りましたよ」

待つほどもなく宗太郎が出て来て、

「まあ順調ですよ」

痕が目立たなくなるには少々の歳月が必要だが、醜いひきつれなどにはならないと断言する。

「目をやられなかったのがなによりでした」

東吾の持っている水羊羹の包をじろじろ眺め、

「ちょうどいい時に来ましたよ。ここのお師匠さんはどうもじっとしているのが苦手の人のようで、薬を塗りかえた後は暫く静かにすわっていなさいといっても、すぐに何か仕事をみつけてしまう。東吾さん、少々、話相手をして行って下さい」

相変らずとぼけたことをいい、長助の女房の介添えで手を洗うと、とっとと出て行った。

長助の女房は、

「それじゃ、若先生がいらっしゃる間に、お鹿ちゃんと夜の御膳の買いものに行って参ります」

と、慌しく出かけて行く。

東吾は猫の額ほどの庭へ廻った。庭へ向った部屋が二間続きで、子供達が集って来るとそこに寺小屋の小机が並ぶらしいが、今は杉江が机にもたれるようにしてぼんやり庭を眺めていた。

「見舞に来たんだ」

縁側に近づいて東吾がいうと、杉江は丁寧に会釈をした。

「おかげさまで、すっかりよくなりました」

といったものの、頭から顔半面、首筋へかけて白布が巻かれていて痛々しい。

「皆さんによくして頂いて、申しわけなく思っています」

「お鹿はよく手伝っているようだが、お照はどうした」

「時々、ちょっと顔を出しています。火傷を心配してくれているようで……」

すぐにお照をかばう姿勢をみせる。

「よけいなことかも知れないが、いつまでもいい師匠でいなければと考えるのは、もうやめたほうがいい」

縁側に腰をかけ、東吾は杉江をみないようにしていった。

「あんたが、こんなひどいことになっても、お照は性根を入れかえる様子もないんだ。世の中にはどんなに真心をもってつき合っても、真心の通じない者もいる。人は神様でも仏様でもない。人の出来ることには限りがあるんだ。いつまでもお照をかばっていると、世間はあんたを馬鹿にする。あんただって偽善者のようにいわれたくないだろう」

杉江が小さく嘆息した。

「私は自分に力があると思って居りません。お照さんのために、何も出来ないのも承知しています」

「だったら、もう、あいつを突きはなせ。下手に甘やかすのは、あいつのためにならないのかも知れないんだ」

塗り薬の匂いのこもっている部屋の中で、杉江がかすかに身じろぎした。

「お照さんを突きはなすのは、出来そうにありません」

ささやくような小さな声であった。

「何故だ」

返事がなかった。杉江は身を固くしてうつむいている。

「どうしてなんだ。一つ間違ったら一生、消えないかも知れないほどの火傷をさせられて、あんたは自分の粗相だといってるらしいが、間違いなくお照があんたに湯桶をぶちまけたんだ。俺もこの目でみているんだぞ」

黙り込んでいる相手に東吾は声をはげました。

「もっと真実をしっかり見るんだ」

「真実を見て居ります」

「なに……」

杉江が漸く顔を上げた。

「私がお照さんを突きはなせないのは、私もお照さんだったからです……」

そっと片手を上げて、もう一方の手でその指を撫でた。

「私も、お照さんと同じように万引をしたことがございます」

子供の時の話だとつけ加えた。

「私、母が幼少の頃に歿りました。ずっと父と二人きりの暮しでございました。父は優しい人でしたけれど、父は父、母ではございません。物心ついてから、世間の人にはみな母があるのに、どうして自分ばかりは、と悲しく思いました」

「お照には母親がいるではないか」

「お照さんからいえば、ないのと同じではないかと存じます」

「しかし……」

「どうぞ、もう少しだけ私の話を聞いて下さいまし」

子供の時に、おそらく母親にはいえたであろうということが、父親にはいえなかったと杉江はいった。

「母親なら、黙っていてもその子が何をのぞんでいるかわかることでも、父親にはわかりにくいものがございます。例えば、母親にじっと抱きしめてもらいたいと子が思っても、父親には出来ません。少くとも、私の父は出来ませんでした。娘のほうから抱きしめてくれとは申せませんでした」

東吾が沈黙し、杉江が細い声で続けた。

「大人になって考えれば、それは小さな出来事でございます。お餅をふうふうさましてロに入れてくれたり、お祭の時など、髪を結って、そっと口に紅をさしてもらったり、ちょっとしたものを買って欲しいとねだったり、女同士ならいえるのに、父親には何故かいいにくいこともあるのです」

歿った父親は、子供の自分によけいな金は持たせなかったと杉江は恥かしそうに打ちあけた。

「お味噌を買うから、魚屋へ行くからと一々、それ相当のお金を渡してもらって、お釣りはいつも父に返しました。ですから、どうしても欲しいものがあって、それがくだらないものであればあるほど、父にはいえませんし、逆に欲しいという気持は強くなりました」

友達が買っている駄菓子とか、てまりとか、紙人形、飴売りの飴細工。

「みんな、くだらないものですけれど、欲しくて欲しくてたまりませんでした。それで、時々、盗みました」

たいしたものを万引したわけではなかったから、店には知れなかったのだと、ずっと思い込んでいた。

「お照さんのことを知って、はっとしました。そのお店では気がついていても、同じ町内の子だから黙っていてくれたのか、それとも、父の所へ苦情をいって来て、父がお金を払っていたのか、そこのところはもうわかりません」

或る時、赤い塗り櫛が遊び仲間に流行した。

「欲しくて、欲しくて、とうとう小間物屋で気に入ったのを、そっと袂に入れて。そうしたら、お店の主人がいいました。持って行ってかまいませんから、おついでの時、おあしをお届け下さいって……」

その時のことを思い出すと、今でも体が慄えると杉江は実際、身慄いした。

「家へ戻って、思い切って父に申しました。赤い塗り櫛が欲しいので、お金を下さい。父は財布を渡しました。櫛の値など知らぬから、この中から持って行くようにと……。私、あんまり簡単なので、びっくりしました。そのことがあってから、父は私に財布をまかせるようになりました」

財布を手にしたからといって、あり余る金があるわけではないし、高価な買い物が自由になるのでもない。

「別に何か欲しいというのでもありませんでした。あれほど欲しくて買った塗り櫛も、そんなに欲しかったようにも思えなくて……」

ごく自然に、万引はしなくなった。

「それっきりです」

西陽がかげって、庭が薄暗くなっていた。

「俺は男で、女の気持がわからないってことだけは気がついたよ」

それにしても、お照は金があって万引しているのだろう、と東吾は杉江を眺めた。

「あんたのとは、違うように思えるんだがな」

杉江が唇のすみをひきしめるようにした。

「お金のあるなしじゃないんだと思います。誰にも自分の気持がわかってもらえない。自分でも自分の気持を誰にも訴えることが出来ない。まどろっこしくて、歯がゆくて、じれったくて、いつもどこかで苛々している。親にもわかってもらえない。こっちからはいう言葉もきっかけもつかめない。誰かわかってくれ、お願いだから、あたしのことを知って欲しい、あたしはこんなにつらいんだ。寂しいんだ。情ないんだ。駄目な奴なんだ。ろくでなしなんだ。でも、あたしは必死になってるのに、誰もあたしをわかってくれない」

悲しそうな笑いを浮べた。

「あたしがそうだったんです。出来るものなら、誰彼なしにものをぶっつけてやりたい。親切そうに何かいう人なんぞ蹴とばしてやる」

苦笑して東吾は立ち上った。

「あんたには、お照って子がわかるんだな」

「でもあの子にこんなことをされて口惜しいです。腹が立ってたまらないのも本当です」

杉江が白布に手をやった。

「怒ってみてもどうしようもない。結局、自分が自分に火傷させたようなものなんです。ですから自分の粗相だと……」

「そういう意味だったのか」

勝手口にお鹿と長助の女房の声が聞えていた。

「やっぱり、俺は間違っていたらしいな」

庭を出て勝手口をのぞいた。

お鹿がせっせと大根を洗っている。

「表でお照をみかけたんですよ。声をかけたのに、すっと行っちまって。この子だって、こうやってお師匠さんの役に立とうって気持になってるのに……全く……」

長助の女房が苦い顔をし、東吾は外へ出た。

夕風の中を豆腐売りの声が流して行く。

だが、誰も知らなかった。

祭の日でもなければ、滅多に参詣人も来ないような六間堀の神明宮で、お照は必死になってお百度をふんでいる。

石畳をはだしになって、神前で合掌しては手の中のこよりを一つ折る。

「どうか、お師匠さんの火傷が早く治りますように……火傷の痕が残りませんように……」

神様だけにしか聞えない声で呟き、頭を下げ、お照は朝昼晩と、一日に三回もお百度詣りを続けているのであった。

長崎《ながさき》から来《き》た女《おんな》

一

この年の春、神林東吾は幕府の練習艦で長崎へ行った。

軍艦操練所に勤務していると、年に何回か実習のための航海に出る機会がある。東吾は、それが楽しみであった。

船上での訓練を、東吾は自分の性に合っているといつも思う。

操船技術を学ぶのは勿論、夜、星空を眺めて方角を確認したり、風の向きや大気の湿り具合で天候を予測するのも興味があった。さまざまの力仕事も一向に苦にならない。

そして、甲板に立って果しのない大海原を眺めていると、心が日常生活から解き放たれて自由に天空を羽ばたいているようなのびやかな気持になった。

この解放感は「かわせみ」での暮しにはない。

別に、るいに飽きたわけではなかった。「かわせみ」での日々が窮屈というのでもない。

自分でも好き勝手な毎日を送っていると思うし、尊敬出来る兄や恩師があり、愛すべき妻子や、信じられる友人に恵まれていて、これで不足をいったら罰が当るとわかってもいる。

が、それはそれとして、航海はまた格別であった。

長崎は、東吾にとって二度目になる。

十何年も前に、兄の義父に当る麻生源右衛門が、当時、目付役を勤めていて、長崎へ来た露西亜《ろしや》船との対応のため、幕命で長崎へ向うことになった時、次男坊でこれといって用もない東吾を、

「広く世の中をみる機会になろうから……」

と、自分の供に加えてくれたものである。

その折は陸路、今度は海路であった。

十数年ぶりの長崎はやはり活気に溢れ、相変らず賑やかであった。

港には到着したばかりらしい阿蘭陀《おらんだ》船の他に英吉利《いぎりす》船が停泊しているのが東吾に時代の流れを感じさせた。

かつては、唐船と阿蘭陀船しか入港を許さなかった長崎も、すでに幕府が神奈川、函館を開港し、露、米、仏、英の各国とも貿易を行うようになっている。

練習艦の場合、各地に寄港することは少いし、入港しても長いこと滞在する例は滅多になかったのだったが、この時の長崎では思いがけず逗留する破目になった。

理由は途中の航路でかなり激しい時化《しけ》に遭い、船体の一部が破損し、帆柱の先が折れるなど、修理の必要にせまられていたからである。

いい具合に長崎には船の修理所もあり、秀れた技術を持つ船大工や舶来の技術を身につけた職人達が少くない。

とはいえ、東吾達、訓練生は船をおいて江戸へ帰るわけにも行かず、長崎に足止めされる結果になった。

宿舎は長崎奉行所のほうで手配してくれた寺で、とりあえず、この際、学ぶものは学べと上官から指示されて、外国船を見学したり、通訳をまじえて船長や航海士に話を聞く機会を作ったり、けっこう有意義な日々でもあったが、殆どが二十代の若者ばかりのことで、夜は遊所へ通う者も少くなかった。

また、訓練生の中には父親が幕府の要職についている者も何人かあって、かかわり合いのある長崎の富商などが寺へ訪ねて来て、長崎見物に誘い出し、さまざまにもてなしてくれたりする。

訓練生の中で、東吾は比較的、人気があった。

生来、あまり物事にこだわらないし、危険な仕事にしりごみしている者をみると、さりげなく代ってやったりする。船酔いに苦しんでいる者にとっては、上官にわからぬように作業を助けてくれる東吾の存在は、まさに救いの神でもあったのだ。

で、親の伝手《つて》で招待される者が、

「神林どのも御一緒に如何ですか」

と声をかけることが少くない。

東吾は、ほどほどにつき合い、ほどほどに辞退していた。本心をいえば、余暇には一人で町を歩いたり、興味のあるものをみつけるほうが、遥かに楽しい。

それに、訓練生の中にはそうした誘いの全くない者もいて、毎夜のように招かれて行く仲間を羨望の目で眺めているのを東吾は気がついていた。

その一人に今崎貞二郎という二十八歳になる男がいた。父親は御家人で家禄も少く、かなり貧しいらしい。おまけに彼は次男で下手をすると一生、養子の口もみつからない運命にあったかも知れない。

軍艦操練所へ入ったのは、父親があらゆる縁故を頼って奔走した結果だと、当人が自嘲的に語っていたが、家族はもとより当人にしても思いがけない幸運だったと承知していた。

少々、屈折したところはあるが、真面目な性格で勉学には熱心である。泣きどころは船酔いであった。それも、かなりひどいもので、口の悪い訓練生によると、

「今崎は纜《ともづな》を解いたとたんに酔っている」

といった具合で、船上では全くものを口にすることが出来ない。それでも訓練生であ

る以上、寝ているわけには行かないから、よろめきながら蒼白な顔をひきつらせて作業に加わっているものの、実際には何も出来なかった。従って、誰にも迷惑をかけるし、足手まといになる。

東吾は出来る限り、彼をかばった。が、それにも限界がある。

今度の航海の時化の際は、甲板でころんで積荷に頭を叩きつけ、気を失ったあげく、危うく波にさらわれかけた。助けたのは東吾で、他の仲間に手伝ってもらい、彼の体を縄で帆柱に縛りつけて転落を防いだ。

それで命が助かったのだが、当人は自分の不甲斐なさに苦しみ、あんな醜態を演じた以上、軍艦操練所を馘首《かくしゅ》されるのではないかと案じているらしい。

あまり気の毒なので、東吾は一人で町へ出る時、一緒に行かないかと誘ってみたが、

「とても、そんな気にはなれません」

と、うつむいて断った。

二、三軒、もっぱら書物問屋を廻って、帰り道に東吾は唐人がやっている菓子屋で饅頭を買った。

寺へ戻ってみると、今崎は机にむかって本を読んでいる。部屋には他にもう一人、佐久間香介というのがいた。

「饅頭を買って来たんだ。食わないか」

東吾は二人にいったが、佐久間のほうは、

「今から出かけますので……」

軽く会釈をして、そそくさと出て行った。

「全く、毎晩、よく遊ぶものですよ」

東吾と自分のと、二人分の茶をいれて、今崎がいった。

「あいつ、丸山か」

長崎で最も名の知れた遊里といえば、丸山であった。

「丸山の遊女というのはちょっと変っているんだぞ。日本人を客にする妓《おんな》と、唐人や阿蘭陀人の相手をする妓と、きちんと区別されているんだ。唐人屋敷へ通う妓は唐人行、阿蘭陀屋敷へ行くのは阿蘭陀行といってね。昔は唐人も阿蘭陀人も決められた地域に住み、勝手に町へ出て来てはならないので、遊女のほうから出かけて行ったのさ。今はそんなこともなくなったようだが……」

「神林どのは、丸山へいらっしゃったのですか」

「今度は行っていないよ。十何年も前に来た時に若気のいたりでね」

饅頭を勧めると、今崎は嬉しそうに一つ取った。

「御新造はさぞかし、神林どののお帰りをお待ちかねでしょうね」

「内儀さんは一応、宿屋稼業をしているのでね。それに子供もいるから、まあ、いそがしさにまぎれているだろう」

「神林どのが羨しいですよ。手前は何をやっても駄目で、軍艦操練所へ入った時は石にかじりついても出世したいと思いましたが……」

つらそうな目を東吾に向けた。

「船酔いを治す薬は、ないものでしょうか」

「こないだ話を聞いた阿蘭陀の船長も海が荒れれば酔うといっていたが……」

「神林どのは酔いませんね。この前の時化でも、大活躍をなさったと上官が賞めてお出ででした」

「動いていたほうがいいんだ、船が揺れたら、じっとしているとかえっておかしくなって来るものらしい」

「佐久間どのは要領がいいですよ。人目につかない所で寝ていたそうですから……」

また、同僚の名が出た。

「あの人は、女にも要領がいいようです。俺は金を出して妓を買うなぞという馬鹿な真似はしない。その気になれば、素人の娘をいくらでも、ものに出来ると……」

「そいつはよくないなあ」

「今、遊んでいる相手も素人娘だそうですよ」

「遊び、なのか」

「月琴《げっきん》というのですか、あれを上手に弾く女だとか」

外出していた仲間が帰って来て、その話はそれきりになった。

東吾の気性としては、他人の色恋を面白可笑しく噂するのは好まない。

しかし、この時、もう少し、くわしく今崎の話を聞いておいたらという悔いが、後になって生じた。

二

今崎貞二郎が品川の東海禅寺で女と心中したという知らせが、軍艦操練所へ入ったのは五月であった。

「お上が内々にとりはからって下されたにもかかわらず、今崎の家では女と心中するような者は当家の悴ではないと父親が彼を絶縁して、誰も遺体をひき取りに行かないとのことだ。寺のほうでも当惑しているらしい。一つ釜の飯を食った諸君の中から有志の者がむこうへ行って後始末をしてやってくれないか」

上司の篠崎武右衛門がいい、東吾達はいったん家へ帰り、支度をして芝口橋で待ち合せることにした。

大川端の「かわせみ」に戻って、るいに事情を話し、場合によっては今夜は帰れないかも知れないからと、老番頭の嘉助にもいいおいて、約束の時刻に芝口橋まで行ったが、待てど暮せど誰もやって来ない。半刻ばかりして、これはもう一人で出かけるより仕方がないと決心した時、佐久間香介が走って来た。

「申しわけない。出がけに母がいろいろと申すものですから……」

品川まで行って帰りはどうなるのか、誰か供を連れて行ったほうがなぞとくどくいわれて困ったと苦笑している。

考えてみれば、佐久間香介の父親は旗本で、たしか普請方下奉行だと聞いていた。彼は三男坊だが昌平坂学問所でも優秀な成績で、幕府が蘭学を解禁にしてからはそちらも学んで来たという。

軍艦操練所に入って来た者の中でも、家柄もよく、将来を嘱望されているのは、東吾も承知していた。

「どうやら、我々、二人だけのようですな」

あたりを見廻して肩をすくめた。

「情のない連中ばかりで、今崎がかわいそうだ」

行きますか、と東吾をうながして歩き出した。

すでに午をすぎているので、あまりのんびりしてはいられない。

空は高曇りで、気温はかなり上っている。金杉橋までは道の両側に町屋が密集しているので、蒸し暑かった。

「今崎が女と心中するというのは驚きましたよ。人はみかけによらないものですな」

歩きながら、佐久間がいい、東吾が訊ねた。

「佐久間君は今崎君と組んで仕事をすることが多かった筈だが、なにも聞いていないのか」

「あいつは口が重かったたし、自分のことは話したがらないふうがありましたよ。こっちが何か訊いても、ろくに返事もしない。彼と親しかった者は、操練所の中に一人もいないのでは……」

それはそうかも知れなかった。現に篠崎が有志の者は行ってやってくれといったにもかかわらず、東吾と佐久間の他は誰も来なかった。

「神林君には随分、厄介をかけていたでしょう。いや、死んでからも厄介をかけるとは全く弱った奴です」

不幸に死んだ仲間の後始末に行くにしては陽気な声で話していた佐久間が、金杉橋を過ぎたあたりからは無言になった。

東吾の歩く速度が早いので、それに合せていると呼吸がはずんで、話をするどころではなくなって来たのだとわかって、東吾はやや歩調をゆるめた。

東海道とはいっても、ここらあたりは旅人よりも地元の人々の往来のほうが激しい。大八車や荷を積んだ馬や、それに駕籠が多く行き交う道は土埃がひどかった。

「どうも、今崎のおかげで、とんだめに遭いますな」

佐久間が苦笑して汗を拭いた時、街道の左手に海が広がった。沖に帆船が西へ向っている。

「海も、このくらい凪《な》いでいるといいんだが……」

思わず本音を口にして佐久間は照れかくしのように笑った。彼も決して船酔いに強いほうではない。

東海禅寺への参道は、高輪中町から北側に続いていた。

参道の両側は松並木で、街道をちょっと入っただけだというのに、四辺が急に静かになった。

正面に黒い柵がめぐらされ、門がある。

そこに坊さんが二人、向い合って男が一人、立ち話をしている。

坊さんが近づいて来る東吾達を眺め、こっちに背をむけていた男がふりむいた。

「若先生……」

「仙五郎じゃないか」

同時に声が出て、飯倉の岡っ引、仙五郎は嬉しそうにかけ寄って来た。

「軍艦操練所のほうから、誰方《どなた》かおみえになると坊さんがいってなすったんですが、若先生がお出で下すったんで……」

「ということは、今崎君のことで来ているのか」

仙五郎がたて続けにお辞儀をした。

「そちらの母御様からお頼まれしまして」

「今崎君の家は、飯倉あたりなのか」

「増上寺の裏っ側になりますんで、まあ、同じ町内のようなものでございます」

「そうだったのか」

おそらく、父親は頑固で、心中した悴の遺体をひき取らないといったのを、母親は反対も出来ず、日頃、昵懇《じっこん》にしている仙五郎にその始末を頼んだに違いない。

東吾は仙五郎を佐久間香介に一応、ひき合せたが、お上の御用を承っている、いわゆる岡っ引と聞いただけでそっぽを向いてしまった。

仙五郎と話をしていた坊さんは東海禅寺の僧だったが、東吾が挨拶をすると、

「それは御遠方を、わざわざ御苦労様でございました」

とねぎらってから、万事は仙五郎に話してあるので仙五郎から聞いて欲しいといい、

「何事も仏縁でございます。手前どもで出来ますことならば、なんなりとおっしゃって下さい」

と親切に申し出てくれた。

坊さんが去ってから、仙五郎が参道から右手の小高いところを指した。

「そこの石段を上って参りますと牛頭天王社《ごずてんのうのやしろ》と申しますのがございます。なんでも、こちらのお寺さんの鬼門除《よ》けの鎮守さんなんだそうで……その、御遺体はそっちのほうなんでございます」

つまり、今崎貞二郎が心中したのは、牛頭天王社の境内だといった。

石段を上りながら、仙五郎が東吾の後からついて来る佐久間を多少、気にしながら話し出した。

「こちらの坊さんは大層、ものわかりのいい方で、心中ということになると、今崎様の御家名にもかかわりますし、なにかと厄介でして……まあ、お二人は別々においりに

来なさったことにして、どちらも急病で歿られたと世間体は左様なことにしてもらいたいとおっしゃいますので……」

東海禅寺といえば、寛永十五年に沢庵和尚によって開山され、将軍家はもとより多くの大名が帰依《きえ》した名刹《めいさつ》であった。

その寺域は五万坪、十七もの塔頭《たっちゅう》が並ぶ臨済宗大徳寺派の寺である。それだけに心中事件になぞかかわりたくないのが本音で、すでに御寺社のほうにも話がついているらしい。

もとより、東吾にしても異存はなかった。

死んだ今崎のためにも、なるべく穏便にことをすませてやりたいと思う。

石段を上り切った正面に牛頭天王の社殿があり、仙五郎はその脇を廻って、背後の木立の中へ入って行った。

そこに番人がいる。

二人の死体を人目にさらさぬよう見張り番をしていたものだ。

松柏のこんもりした樹林の奥に御堂があった。もともとは絵馬堂だったのだが、本殿の脇に新しい絵馬堂が寄進され、古い絵馬もそっちへ移したとのことで、中はなにもない。

今崎貞二郎は、その御堂の中に横たわっていた。すぐ近くに、女の遺体が並んでいる。

「みつかった時は、重なり合っていたんだそうで……」

東吾が一瞬、絶句したのは、二人が口許からおびただしく血を吐いているのに気がついたからである。血はすでに固まって、二人とも胸のあたりが黒っぽくなっている。

「これは……毒じゃないか」

仙五郎がうなずいた。

「酒にまぜて飲んだようです」

御堂のすみから、仙五郎が徳利と土器《かわらけ》を持ってきた。

「お二人の倒れていた近くにあったんだそうですが、坊さんが片づけまして……」

土器は牛頭天王社の社前にあったのを持って来て使ったらしいという。

東吾は徳利の栓をはずして、中の匂いを嗅いだ。酒の匂いに別段、異常はない。徳利の底には少々の酒が残っている。

「こいつは持って帰って調べてみよう」

徳利と土器を仙五郎に渡し、仙五郎は徳利にしっかりと栓をし、土器は手拭を出して包み、懐中した。

「遺書は、どうした」

東吾が訊き、仙五郎が首をふった。

「一応、あっしが坊さんと一緒に調べましたが、なにもございませんで」

ただ、きちんと紙に包んだ金が徳利の脇においてあったといった。

「金は坊さんがあずかっていますが、紙だけはもらっておきましたんで……」

仙五郎が出してみせたのは折りたたんだ半紙で、表に供養料と書いてある。

「いくら、入っていたんだ」

「三両だったそうです」

遺体の後始末をするには充分すぎる金であった。

「道理で、坊さんの愛想がいいと思ったよ」

それにしても遺書のないのが東吾は気になった。今崎貞二郎は律義な性格であったと思う。女と心中するにせよ、何か書き残しておきそうなものだが、念のため、東吾が遺体を調べてもそれらしいものは出て来なかった。

今崎貞二郎の遺品は、びた銭しか入っていない紙入れと手拭、それにあまり上物とはいえない大小、扇。

女のほうは持ち物から身許が判った。

守袋の中に、長崎、千波屋内、お新と書いた守札が入っていたからである。

「長崎から来たのか」

仙五郎が広げた風呂敷包の中には手甲《てっこう》、脚絆《きゃはん》、それに道中着などがきちんとたたまれている。それらとは別におろしたての下駄が揃えておいてあった。

女は江戸へ着いて、それまでの草鞋《わらじ》を捨て新しい下駄を買ったものだろうか。

女の巾着の中には小粒などをとりまぜて一両足らずの金が残っていた。

所持金を殆ど費《つか》い果して江戸へたどりついたということなのだろうか。

女の顔は陽に焼け、そしてやつれていた。

長崎から江戸まで、およそ三百五十余里。女にとっては苛酷な長旅だったに違いない。

「念のため、いつものように頼む」

仙五郎はみかけによらず絵心があった。今までにも身許の知れない変死人などの場合、着衣や所持品、体の特徴などの記録と共に、仙五郎が容貌をざっと絵にしておいたのが、思わぬ役に立ったことが少くなかった。

で、東吾はこの長崎から来たお新という女の顔を描いておいてくれと仙五郎に頼んだものだ。

仙五郎は心得て、すぐ矢立と半紙を取り出して女の顔を写しはじめた。その内に東吾は御堂の外へ出た。

たしか一緒に上って来た筈の佐久間香介の姿がいつの間にか見えなくなっていたからだったが、御堂を出ると遥かむこうの社殿の横に立って遠景を眺めている佐久間の姿がみえた。近づいて行くと、

「神林君は、死体の扱いが馴れていますね。たしか、兄上は吟味方与力で、そういったこととは無縁の筈ですが……」

という。

「兄には内緒ですが、時折、友人の手伝いをしていますので、死体あらためぐらいはお手のものですよ」

わざと明るく笑いとばし、東吾は社殿にいた神官に声をかけた。

友人が神域を汚したことを詫び、ついでに訊いた。

「あの死体をみつけられたのは、どなただったのですか」

山羊鬚を貯えた初老の神官は、軽く眉をしかめた。

「わたしだが」

この社では夜明けと共に神官達が起き出して、社殿の清掃、境内の掃除にとりかかる。

「今朝は暗い中から裏のほうで犬がえらく吠えるので、何事だろうと行ってみて仰天しました」

よくよくみると、男は知った顔であった。

「今崎どのは母親が牛頭天王を信仰して居られて、もともと病弱だった貞二郎どのが無事に成人なされたのは、その御利益だと大層、有難がって居られる。それ故、貞二郎どのも御役目で船に乗られる前と下りられた後には必ず当社へ参詣に来られるのでございますよ」

慌てて使を飯倉の今崎家へ走らせたという。

「ところが、父御はそのような悴は今崎家の者ではない。無縁墓へでも捨ててくれといわれる。使は困って、たまたま、こちらもようお詣りにみえていた、貞二郎どのの上司の篠崎様が、やはり飯倉の近くにお住いなのを思い出し、そちらにお知らせに参ったところ、左様なことなら、貞二郎どのの友人に相談し、善処する故、万事よろしくとのことでございました」

成程、それで篠崎から話があったのかと、東吾は納得した。

「それは早朝から、おさわがせ申しました」

昨日、今崎貞二郎がここへ参詣に来なかったかという東吾の問いに神官はかぶりをふった。

「昨日はおみかけして居りません。おそらく、夜になってから上って来られたのではないかと思われます」

今崎貞二郎にとっては、勝手知った境内である。

「例えば、深夜、あの御堂で人声がしても、皆様の耳には届きませんか」

神官がうなずいた。

「御本殿の御扉は暮六ツ（午後六時）に閉め、それ以後はみな、この下の社務所にて起居して居ります故、裏山で少々の声がしても、まず聞えることはございません」

犬の吠え声にしても、清掃に上って来たから聞えたのだといった。

東海禅寺の門は扉がないから、夜中に参詣人が入って来るのは容易であった。

「今崎君と共に死んで居りました女ですが、生前に、ごらんになったことはおありですか」

「いやいや、貞二郎どのはいつもお一人であった。お連れのあったことはない」

下から寺男が上って来た。二人の遺体は東海禅寺の裏手にある墓地へ運び、火葬にして遺骨は引取り人が来るまで、寺のほうであずかってもよいということになり、東吾は頭を下げた。

この陽気に死体をいつまでもそのままにはしておけない。

佐久間香介は母親がうるさいのでと帰ってしまい、結局、東吾と仙五郎が立ち会って骨を拾い、改めて、回向《えこう》をすませたのがもう夜だった。東吾は仙五郎から徳利と土器を受け取って、まっしぐらに本所の麻生家へ行った。

深夜だったので、麻生家の表門は閉っていたが、裏へ廻ってみると、いつも宗太郎が患者を診る離れには灯影がある。裏門の戸を軽く叩いてみると、すぐ足音がして、

「急病人か」

という宗太郎の声がした。

「遅くにすまん、俺だ」

「東吾さんでしたか」

ことりと桟をはずす音がしてくぐりが開いた。東吾の提げている徳利をみて、笑った。

「まさか、御新造に追い出されて、自棄《やけ》酒を飲もうというんじゃないでしょうね」

「冗談じゃない、こいつを調べてもらいたいんだ」

離れの部屋へ上りこみ、徳利と土器を渡した。

「気をつけてくれ。多分、それを飲んで二人が死んでいるんだ」

「相変らず、物騒なものを持ち込んで来るんですね」

土瓶の中の、みるからに苦そうな茶を筒茶碗に注いで勧めた。

「だいぶ、くたびれているようですから、まず、それを飲んでお待ちなさい」

隣の部屋へ入って、慎重に調べはじめた。

待つこと四半刻。

「えらいものを酒に入れていますよ。この徳利に残っているだけで、馬が十頭は確実にあの世行きです」

「そんなに凄い毒なのか」

「おまけに無味無臭という奴ですよ。飲まされるほうは、まず、わかりません」

「阿蘭陀渡りか」

「英吉利じゃありませんかね。なんにしても、ごく新しい毒物です。わたしも最近、むこうの書物で知ったばかりですから……」

「日本へ入って来たとしたら……」

「長崎か、横浜でしょう」

「高価だろうか」

「なんでも、新しいものは高価です」

「素人に、買えただろうか」

改めて、今日の顚末を話した。宗太郎はうなずきもしないで聞いている。東吾が話し終ると、早速、訊いた。

「東吾さんは、心中ではないと考えているのですか」

「なんというか……平仄《ひょうそく》が今一つ、合わないんだ」

「理由は……」

「第一に、女は長崎から来たんだ。とすると、この春、練習艦で長崎へ行った時に知り合ったことになる」

「だいぶ、長逗留だったそうですね」

「俺が知る限り、今崎はあまり外出していない。それに金もなかったと思う」

「色男なら金がなかろうと、時間が足りなかろうと、女が出来て不思議はありませんよ」

「男前はまあまあだが、色男ではない。俺がみる限り、色恋に達者なほうじゃないんだ」

「人はみかけによりません」

「仮に女が出来たとしよう。その女が今崎を追いかけて長崎から江戸へ出て来るものだろうか」

「女は強いですからね。恋いこがれれば蛇体になって川も渡ります」

「なんで心中しなけりゃならなかったんだ」

「今崎という人は生真面目なのでしょう。失礼ながら家は貧しい。父上なぞ頭から湯気を立てそうですね。どこの馬の骨かわからぬ女を家に入れるとは不届至極……」

「それにしたって、毒がおかしい」

かなり高価に違いない毒を、なぜ、今崎が長崎で入手したのか。

「まさか、もうその頃から、もし女が江戸へやって来たら心中しようと思って、入手しておいたわけでもあるまい」

「その人は、人生に絶望していませんでしたか」

「船酔いを苦にはしていた。しかし、自分が軍艦操練所へ召し出されたことで、一家に春が廻って来たと喜んでもいたのだ」

「喜びが大きかった分、失意も大きかったのではありませんか」

「自分が死ぬために毒を買っておいたというのか」

「腹を切るのは痛いですからね」

そこで、宗太郎はまずそうな顔で茶を飲んでいる東吾を眺めた。

「やっぱり、心中というには不自然ですね」

茶にむせた東吾を横目にみて続けた。

「女の身許を確認する方法はありますよ。千波屋内と書いてあったのなら、千波屋に問い合せればよい。わたしが懇意にしている薬種問屋で長崎にくわしいのが居ます。長崎に千波屋というのがあるかどうか、訊いてあげましょう」

「すまない。頼む」

「徳利と土器は、わたしが処分します」

毒を分解する薬があるので、今夜中に始末をしておくといった。

「重ね重ね、厄介をかけるが……」

早々に裏門を出て大川端へ帰った。

おそらくもう寝てしまっているだろうと思ったのに、東吾が表に立つと、

「若先生で……」

嘉助の声がして、東吾の返事を聞いてからくぐり戸を開けた。

「お帰りなさいまし」

帳場に、るいがいた。

「何かあったのか」

すでに丑の刻（午前二時）に近い筈だ。

「嘉助がずっと起きていると申しますから、品川には殿方のお楽しみになる所がいくらでもありますから、骨折損のくたびれもうけ、もうおやすみと申して居りましたの」

言葉とは裏腹に、ほっとした顔をしている。

「俺が宿場女郎なんぞ相手にするか」

嘉助に、すまなかったといい、東吾は恋女房の肩を抱いて奥へ入った。

三

翌朝、寝不足の顔で東吾は八丁堀へ行き、出仕前の畝源三郎に子細を打ちあけた。

「千波屋のほうは、宗太郎がひき受けてくれたので、俺は江戸へ入ってからの女の足どりを調べてみようと思うんだ」

もし、お新という女が長崎から江戸へ出て来たとして、草鞋を脱いだ場所がある筈だと東吾はいった。

「真新しい下駄を履いて東海禅寺へ来たからには、ひと晩にせよどこかに泊っているに違いない。おそらく、そこから今崎にも自分が江戸へ到着したことを知らせただろう」

女が江戸へ入ってから、牛頭天王社の裏で死体になるまで、どこでどうしていたかが知りたいという東吾に、源三郎が合点した。

「そういうことなら長助を仙五郎の所へやって、二人で調べさせましょう。おそらく、品川の旅籠をしらみつぶしに当れば、なにか出て来ると思いますよ」

だが、そっちの報告よりも先に、まず翌日、麻生宗太郎が「かわせみ」へ来た。

「長崎に千波屋というのは間違いなくあるそうですよ。ちなみ屋と読むのではなくせんぱ屋というそうですがね」

外国船が運んで来るさまざまの品物を扱っている老舗だといった。

「千波屋内と書いてあるからには、千波屋の娘か、身内の者か、とにかく早飛脚で事情を知らせては如何ですか」

といわれて、東吾はその指示に従った。

とはいえ、三百五十余里の遠方である。そう簡単に返事が来るわけがない。

六月になった。

暦の上では晩夏だが、江戸はこのあたりが一番、暑い。

まっ黒に陽焼けした長助と仙五郎を伴って、畝源三郎が「かわせみ」へ来たのは、ひどく蒸し蒸しする夕方で、

「こいつは一雨来るぜ」

と東吾がいっている中に激しい夕立になった。

大雷でも鳴り渡ると、雷嫌いのるいが困るだろうと東吾は内心、気にしていたが、いい具合に雷鳴は遠い。

「面白いことがわかりましたよ」

源三郎は張り切っていて、

「二人が突き止めて来たのですが、長崎から来たお新という女は、品川宿の日の出屋という宿に三日泊っています」

日からいうと、今崎とお新が心中した日より三日前に宿に入っていた。源三郎にうながされて長助が話し出した。

「宿の番頭の話ですと、着いた時は旅姿でかなりくたびれていたそうです」

但し、日の出屋へ着くまでのお新には連れがあって、

「長崎の千波屋の番頭と手代で、商用で江戸へ来るついでに、お新という女を送って来たと話して、二人はそのまま日本橋へ向ったと申します」

つまり、お新は最初から品川でその二人と別れる約束になっていたらしい。

「翌日、お新は宿屋の番頭に、手紙を飯倉の今崎貞二郎という人の所へ届けてもらいたいといいまして、番頭は若い衆にその手紙を持たせたそうです」

「飯倉の今崎貞二郎といったのだな」

「へえ、それで、その翌日に若い侍が訪ねて来まして、長いこと、お新と話をして帰ったってんですが……」

長助が仙五郎へ話をゆずった。

「その若侍の人相をあっしが訊きましたんですが、今崎貞二郎様に間違えねえと思います」

「今崎は帰ったんだな」

「翌日、また来たそうで、間もなくお新が質屋を教えてくれといい、自分で出かけて行って金を作って来たと申します」

宿へ払う金がなかったのだろうと仙五郎はいった。

「支払いをすませて、お新が待っていた今崎様と日の出屋を出て行ったのが、夕方だったと……」

心中死体となって発見される前日のことになる。

仙五郎が持って来た大きな風呂敷包を解いた。

「お新の質入れしたてえのを、質屋から借りて来ました」

琵琶を寸づまりにしたような恰好だが、胴の部分に美しい蒔絵がほどこされている。

「こいつは、月琴じゃないか」

東吾が手に取って眺めた。長崎ではよくみかけたが、江戸では珍しい楽器である。

「いったい、いくらで質入れしたのだ」

「一両だそうです」

「たった一両か」

長崎でも到底、そんな値では買うことが出来ない高級品であった。

「他国者の女と思って、質屋の親父奴《め》、足許をみやがったな」

その一両の中から宿銭を払って、お新は今崎貞二郎について行った。

「その女は、これを弾けたんですかね」

源三郎がいい、東吾は、はっとした。

たしか、どこかで、誰かが月琴を弾く女の話をした。

「そうだ、長崎で今崎から聞いたんだ。月琴を弾く素人娘を……佐久間香介がものにしたと……」

東吾の頭の中で何かがはじけた。

月琴を弾く女とつき合っていたのは佐久間香介で、今崎貞二郎ではない。今崎はその話を反感をこめて東吾に語っていた。

「今崎は、佐久間を嫌っていた。しかし、訓練ではいつも一緒の組だったし、金廻りのいい佐久間に、時折借金をしていたこともあったようだ」

もし、お新の相手が佐久間だったら、算盤勘定はぴったり合う、と東吾はいった。

「佐久間は女たらしだ。口先もうまいし、色男で金もある。佐久間が相手なら、女は夢中になって江戸まで追いかけて来るかも知れない」

「すると、佐久間という男が、今崎貞二郎と名乗っていたのですかね」

源三郎が口をはさんだ。

「少くとも、お新は相手の名前を今崎貞二郎と思い込んでいないと、話の辻褄が合いませんよ」

「その通りだろう。佐久間のような男は旅先で女をひっかける時、用心して本名は名乗らない。大体、道中、宿場女郎と遊ぶ時なんぞ、誰も本名はいわないものだろう」

「よく、御存じですね」

苦笑しながら源三郎が、ちらと次の間にいるるいを意識したが、るいはそ知らぬ顔で酒の燗をつけている。

「お新は佐久間から自分は江戸の飯倉に住む今崎貞二郎といわれていて、品川の宿から、今崎へ文をやった。今崎は文をみて、すぐ佐久間が自分の名をかたったと気づいて、佐久間に苦情をいいがてら、お新の文を届けた」

もとより、佐久間香介にとって、お新は旅先で遊んだだけの女で、よもや江戸までやって来るとは思いもよらなかった。

「あいつは最初から逃げ腰で、女には会わず、なんとか、今崎に女を説得させて、長崎へ帰らせようとしたのだろうが、そんな器用なことが今崎に出来る筈がない」

お新も容易に承知しなかったに違いない。

「長崎の女は、情が深くて、気性が激しいんだ」

ちらと、るいがこっちをみたので、東吾は早口になった。

「佐久間には軽率なくせに、責められると、かっとなる気質がある。船で帆綱が絡まったら、いきなり切ろうとして教官から激しく叱責されたことがある」

「乱暴な男ですね」

「末っ子で甘やかされて育ったから、忍耐力がないと自分でいっていたよ」

「二人は、佐久間に殺されたんでしょうな」

「おそらく、そうだろう」

女を説得出来なかったと報告した今崎に、それでは自分が会って話すから、人目につかない場所へつれて来てくれ、と頼む。

「牛頭天王社の裏の御堂を考えたのは今崎だろう。あそこなら人目に触れない」

あらかじめ、佐久間にその場所を教え、自分が日の出屋へ行ってお新をつれて行った。

「佐久間は口が達者だ。いいように二人は丸め込まれて毒酒を飲まされたんだろうな」

東吾が呟き、仙五郎が訊いた。

「佐久間とおっしゃいますと、この前、若先生と一緒に来られた……」

「あいつだよ」

「なんだって、自分が殺した場所に……」

「心配だったんだろう、なにかへまをしていないか。心中を表沙汰にせず、始末すると知って、あいつは安心したのだろう」

源三郎もいった。

「下手人は必ず、殺した場所を見に来るといいますからね」

「殺すなら、女だけでもようございましたろうのに、お友達まで殺すというのは……」

長助が顔をくしゃくしゃにした。

「今崎には知られ過ぎている。さきざき厄介だと考えたのだろう」

もともと、今崎貞二郎として女とかかわりを持った。

「調べられた時に、かえって好都合とふんだのかも知れないな」

「証拠がありませんね」

畝源三郎が忌々しい口調でいった。

相手は羽ぶりのいい役人の悴であった。奉行所へひっ立てて、石を抱かせて白状させるわけには行かない。

だが、七月になって「かわせみ」にお供の女中を伴った若い女がやって来た。

「私は長崎から参りました千波屋の主人、景と申します。こちらに神林東吾様とおっしゃる方がお出でなさいますか」

きびきびと訊かれて、嘉助はあっけにとられながらも、即座に、

「少々、お待ち下さいまし、只今、お取り次を致します」

と答えた。東吾から今度の一件について話を聞かされていたからである。ちょうど東吾は講武所から帰って来たところで、

「千波屋の女主人だと……」

少々、驚きながらも、居間へ通させた。

「お初にお目にかかります。千波屋でございます。この度、お文を頂きまして取るものも取りあえず、出府致しました」

お新が今崎貞二郎と心中したというのは、間違いないかとつめ寄らんばかりに訊かれて、東吾はうなずいた。

「心中かどうかはわからんが、とにかく、今崎と並んで、毒を飲んで死んでいたんだ」

「お新に相違ございませんか。まさか、あの子が……」

是非、死体に会わせてくれといわれて、東吾は当惑した。

「会わせろといったって、もう骨になっている。大体、この陽気にいつまでも……」

いいさして、立ち上り、箪笥から仙五郎の描いた似顔絵と覚え書を取り出した。

「お新というのは、この娘か」

お景はくい入るように絵姿をみて、唇を嚙みしめた。その様子をみて、東吾は、一両

出して質屋から引き取っておいた月琴をるいに持って来させた。もし、身よりの者と連絡がついたら、お新の形見として送ってやろうと考えていたものだ。

「この月琴に見憶えはないか」

渡された月琴をみて、お景が叫んだ。

「お新のものです。これは、お新があの子の母親の形見だと、いつも手放さなかった……」

両眼から涙があふれ出た。

「どうして……どうして心中なんぞ……」

暫く東吾は、お景の泣きやむのを待っていた。

「あんたは、今崎とお新の仲を知っていたのか」

お景の気持がやや落ちついたところをみて訊ねた。

「お新がうちあけてくれました。あの子は、歿った父が世話をしていた女《ひと》の連れ子なんです」

月琴の上手な女で、夫に死別した後、料理屋なぞに呼ばれて、客の前で月琴を弾き、それで暮しをたてていた。

「父もお座敷でその人に会い、おたがいに納得ずくで囲い者にしたんです。五年ばかりでその人が病死して、お新はみなし子になりましたけれど、千波屋からは月々、仕送りをして、店にもよく出入りをさせていました。わたしは一人っ子なので、妹のように面倒をみて来たつもりです」

母親ゆずりで、月琴がうまく、同じように座敷へ呼ばれて月琴を弾くことがあった。

「今崎様とは、そうしたお座敷で知り合ったんです。長崎の丁字屋さんが今崎様のお父様を存じ上げていて、それで今崎様を御招待なすったとか……」

以来、今崎のほうからお新を呼び出して、すぐに深い仲になってしまった。

「今崎様は、毎晩のようにお新の家へお出でになって、必ず江戸へ呼んでやる。身分が違うから女房には出来ないが、一生、大事にすると……お新は今崎様に惚れ切っていて、わたしの意見なんぞ、まるで耳に入りませんでした」

やがて、今崎が江戸に去り、お新がいくら待っても文も来なかった。

「あの子、妊ったっていうんです。二カ月やそこらではお産婆さんに聞いてもわからないといわれましたけど、お新は間違いないといい張って、どうしても江戸へ行くと……」

「それで、あんたの店の奉公人に同行させたんだな」

「ちょうど、江戸へ出る用事があったものですから……でも、番頭も手代も、お新はてっきり、今崎様の許で暮しているとばかり……」

たしかに、心中事件は内々になり、瓦版にも出なかった。

「そうしましたら、お文が届きまして……」

信じられないままに、長崎を発って来たという。

「しかし、あんたもたいしたものだな。女中一人の供で三百五十里をやってきたのか」

「船に乗せてもらって来ました。英吉利の船です」

「なんだと……」

「船主が、うちの店と取引がある人で、それに長崎会所の高島様が口をきいて下さいましたので……」

長崎から横浜へ来る船に乗ったのだと聞いて、東吾はるいと顔を見合せた。

「道中、揺れなかったか」

「揺れましたけど、わたしは平気でした」

「驚いたな」

今崎貞二郎が聞いたら、どんな顔をしただろうと思い、東吾は別のことをいった。

「あんたは、今崎に会ったのか」

「何度も会いたいといいましたが、お新が会わせてくれませんでした。あちらが承知しないとかで……でも、お新にはいいませんでしたが、わたし、あちらをみたことがございます」

「今崎をか」

「お新とあちらが崇福寺の境内にいるのを、媽祖《まそ》様の祠へおまいりに行って、物かげからみてしまったのです。男前かも知れませんけれど、わたしは安心がならないように思えて……ですから、あちらがお新と心中をするなんて考えられなかったのです」

「今崎の顔をおぼえているか」

「忘れようもありません。あれが、お新の惚れた男かと、じっくり眺めましたもの」

「あんたに頼みがある。お新の遺骨のあずけてある寺へ行くのは、それからにしてもらいたいが……」

東吾と源三郎の間で、念入りな打ち合せが出来た。

翌日、軍艦操練所の勤務が終った時、東吾はさりげなく佐久間香介に声をかけた。

「実はちょっと耳よりな話があるので、そこまで御同行願えませんか」

肩を並べるようにして、軍艦操練所の表門を出る。あたりには退出して来る同僚が三々五々、歩いている。

佐久間香介の前に、お景が走り出た。

「まあ、あなた、今崎貞二郎様、お新と心中したんじゃなかったんですか」

無残なほど、佐久間は狼狽した。咄嗟に返事も出て来ない。

「今崎様……いったい、お新はどうなったのでございます。わたくしのこと、あの子からお聞きでございましょう。長崎の千波屋の主人、景でございます。どんなにか貴方様にお目にかかって、お新のことをお頼みしたかったか……」

佐久間が逃げ出し、源三郎と共にそこへ来ていた篠崎武右衛門が立ちふさがった。

「佐久間、こちらが貴公に訊ねたいことがあるといわれる。わしも同席しよう。来るがよい」

佐久間香介は蒼白になっていた。体が小刻みに慄え、今にもその場に倒れそうにみえた。

取調べに対して、佐久間香介は案外、あっけなく、すべてを白状した。彼は切腹、父親は職を解かれた。

お景は「かわせみ」に十日ばかり滞在し、お新の供養をすませ、遺骨を持って再び、英吉利船で長崎へ帰って行った。

「なにもかも、東吾さんの考えた通りでしたね」

一件落着して、畝源三郎が「かわせみ」へやってきたのは、東吾が長助と仙五郎に、今回、厄介をかけたからと、るいが見立てた反物を贈ったことへの礼をいうためであった。

「あまり、気分のいい事件ではなかったがね」

つくづく、長崎の女は凄いと東吾はいった。

「男に惚れて三百五十里を歩いて来る女もいれば、おそれ気もなく異人を相手に商売をして、女だてらに船で江戸までやってくる女もいる。源さんは知らないだろうが、この国の近海は、けっこう波が荒いんだ」

浦賀水道を出たら、まず相模灘、遠州灘に熊野灘、土佐を廻って来たといったから、あの沖もけっこう波が高い。それに豊後水道から日向灘、ぐるりと廻って天草灘。大体、灘と名のつく所は船が揺れて当り前なんだぞと得意になってまくし立てると、るいがそっといった。

「どなたかさんが勇んで船にお乗りになるのがよくわかりました。どんなに波が高くても、お船の行きつく先には良いことが待っているのですもの。なにしろ、長崎の女は情が深くて、激しくて……」

源三郎がそろりと立ち上り、東吾が慌てた。

「源さん、待てよ、たまには一献酌みかわそうといっただろう」

江戸の空は高く澄んでいた。

長崎の女を乗せた船は、もう遠州灘を越えている筈である。

大山《おおやま》まいり

一

瑠璃色と浅葱《あさぎ》の二種を一つの鉢に植え込んで、うまい具合に細竹にからませ、どちらも大輪の花が咲きかけているのに、色どりが地味なせいか、正午近くなっても売れ残っていたのを、

「大体、朝顔なんてものは、朝の中《うち》に売り切ってこそ商売ってもんじゃないの。今時分まで持って歩いて駄目なもんは夕方まで待ったって買い手がつきやしませんよ。せいぜい安く売っ払って、早いとこ湯屋へ行って、ひとねむりしなかったら、夕方から問屋へ買い出しだろう。いくら若くたって、この暑さだもの。体が保《も》ちゃあしませんよ」

なんぞと脅かして半値で買ったと自慢たらたら、お吉が縁側へ運んで来て、今朝、練習艦の実地訓練を終えて、品川から帰って来たばかりの東吾にみせた。

「朝顔の赤だの桃色だのを買うのは、素人でございます。暑い時の花は、やっぱり涼しげなのが一番。なんで、こんな品のいいのが売れ残ったのか不思議でございますよ」

自分がけちをつけて買い叩いたくせに、お吉はけろりとして、せっせと水をやっている。

「世の中が不景気の時は、派手なものが流行《はや》るんじゃないのか。先月の川開きも随分と華やかだったろう」

千春に折り紙を折ってやっていたるいがうなずいた。

「そういえば、今年の大山まいりは深川だけでも随分と出かけたそうですよ。若い者が多くて何かあるといけないからって、旦那衆が頼みに来て長助親分まで御一緒したんですって……」

「なんだ、長助も大山まいりか」

「ええ、今朝早く深川を発った筈ですよ」

相州の大山寺の石尊大権現はまず六月二十八日から七月七日までが、いわゆる大山まいりの間で、その後、七月十四日から十七日が盆山となるが、多くは二十八日の山開きをめざして出かけて行く。

江戸からの行程だと、まっしぐらに大山へ向っても、途中三泊するのが普通だから、二十五日あたりが出立の目安になった。

もっとも、威勢のいいのは、一日に十里以上もとばして行くが、参詣とはいい条、本音は遊山気分の旅で、帰りは藤沢で精進落しをしたり、江ノ島、鎌倉へ廻ったりというのが一般であった。

「そうすると、長助が帰って来るのは七夕あたりかな」

と、その時の東吾は胸算用をしたのだったが、律義者の長助らしく、七月三日の午後に、

「昨夜、帰《けえ》って参《めえ》りましたんで……」

大川端町の「かわせみ」へ顔を出した。

道中の土産物の他に、新しい蕎麦粉も背負って来て、

「三十年ぶりのお山でござんしたが、なんとか若え連中について行けましたんで、面目ねえ思いだけは致しませんでした。ですが、お山は凄い人出で、あっし共は御師《おし》の家に頼んでおきましたんで宿なしにはなりませんでしたが、なかにはおこもりだか、野宿だかわからねえ連中も居りまして……」

一行が迷子にもならず無事に下山出来たのは、それこそ石尊大権現の御利益だと長助はぼんのくぼに手をやって笑った。

「それにしたって、長助親分、藤沢ではさぞかしいい思いをして来なすったんでしょうが……」

茶を運んで来たお吉に冷やかされて、長助は大きく手をふった。

「そんな罰当りは致しません。なにしろ若え連中はさっさと江ノ島へ廻っちまいまして、

こっちは年寄ばかり、遊行寺へおまいりをして、早々にひき上げて来ました」

「あんまり本気には聞けませんけどね」

「それより神奈川あたりで異人の女が馬に乗っているのに出会ったのにはたまげましたね。大方、横浜から来たんだろうってことでしたが、異人の国じゃあ、女が馬に乗るのは珍しくないそうでございますね」

千春の相手をしていた東吾がいった。

「そういや、俺も品川でみたよ。横浜の港には英吉利《いぎりす》船が入っていたようだったから、大方、それに乗って来たのかも知れないな」

「そんなのが江戸へ来たら、いやでございますね」

といったのは、お吉で、

「第一、泊めてくれっていわれても、どうしていいかわかりませんでしょうが……」

と顔をしかめる。

「かわせみじゃ無理だろう。異人はどこにでも土足のまま上るらしいし、寝るのも台の上に布団を敷くんだ。牛の肉を食うが、米の飯や刺身は駄目だというからな」

冗談らしく東吾がおどかし、お吉がまっ赤になった。

「そんなお客はお断りですよ。まあ、いけすかない、郷に入れば郷に従えとかいうじゃありませんか。人の国へ来たら、その国の人のやることを見習うもんです。礼儀知らずったらありゃあしない」

「まあ、そういう異人もいるさ。むこうさんだって、わけがわからず困ってるんだろう」

長助の大山まいりの土産話が、とんでもないところへ発展して、その日の「かわせみ」はひとしきり賑やかだったのだが、それから五日ばかりして本所から麻生宗太郎がやって来た。

「東吾さんは大山まいりに行ったことはありますか」

のっけから訊かれて、東吾は面くらった。

「あいにく、俺は信心深いほうじゃないんでね」

「誰か、大山まいりにくわしい者を知りませんか」

「本所の名医が、まさか大山まいりに出かけるんじゃあるまいな」

「横浜の知り合いが大山へ出かけたきり、まだ帰らないそうなのです。ひょっとして手前の所へ来ていないかと、使が来ましてね」

東吾が笑った。

「江戸になんぞ来るものか。大山まいりの寄り道といえば、藤沢で飯盛女を冷やかして江ノ島へ足を伸ばすのが相場だろうが……」

「行きもしないのに、よく知っていますね」

「信心なんてもんは、みんな遊びと抱き合せになってるのさ。参詣は建前、本音は精進落し、そうでもなけりゃいい若い者が山になんぞ登るか」

「手前の知り合いは、いい若い者じゃありません。たしか、今年、還暦ですよ」

「いい年をして娑婆っ気の抜けない爺さんが増えているそうだぞ」

だが、東吾は口とは別に内心で指を折っていた。

長助が大山から帰って来たのが七月二日、その翌日に「かわせみ」へ挨拶に来た。それから五日が過ぎて、今日は七月八日、七夕の飾りものを片づけたばかりである。

「その、横浜の知り合いは、何日に大山へ上ったんだ」

「使の話だと二十六日の朝、横浜を出て行ったそうです」

「そうすると、二十八日の石尊大権現、山開きに間に合うように出たんだな」

横浜からなら道中二泊で大山の麓にたどりつくのは容易である。

「帰る日を告げて出たんじゃないのか」

「徐敬徳は七月四日が誕生日なのです。還暦の祝をするつもりで、知り合いを招く手筈もついていて、家族にその準備をいいつけて出かけています」

「唐人か」

「父親が福州の出身です。当人は長崎生まれの長崎育ち。但し、若い時に安南だの印度あたりまで出かけて商売をしていたとかで、異国の事情によく通じています。勿論、日本の言葉にも不自由はなく、大山まいりに出かけて迷子になる筈はありません」

親の代からの薬種輸入問屋だが、商売熱心で、最近は医療器具や医学の洋書なども扱っていると宗太郎はいった。

「横浜へ出て来たのも、長崎の同業者の中では一番早い筈です。近頃はむしろ、横浜の店が本拠のような具合で、当人ももっぱら横浜で暮しているのです」

「大山まいりには、連れがあったのだろう」

「河内屋紋左衛門という商売仲間に誘われて行ったと申すのですが……」

実をいうと、七月二日に紋左衛門が横浜の徐敬徳の店へやって来たのだと宗太郎はいい足した。

「河内屋がいうには、徐敬徳と大山ではぐれたので、ともかく下山して藤沢の宿で待ってみたが、やって来ない。それで、まっすぐ横浜へ帰ったのかと心配しながら訪ねて来たとのことで、留守宅は大さわぎになったらしいのですよ」

すぐに、徐敬徳の弟の徐健記が河内屋紋左衛門ともう一度、大山へ向ったが、山で徐敬徳の手がかりはなく、諸方を訊ね廻っているところだといった。

「それで、わたしの所にも使が来たのです」

傍で聞いていたるいがいった。

「あなた、長助親分に声をかけましょうか」

東吾もそれを考えていた。

徐敬徳が大山へ上ったのと同じ頃、長助も石尊大権現へ出かけていたのだと東吾がいうと、宗太郎が暗夜に光明をみつけたような表情になった。

「では、今から長寿庵へ行きます」

長助を呼ぶより、そのほうが早い。

「俺も一緒に行くよ」

そそくさと「かわせみ」を出た。

深川佐賀町の長寿庵に長助はいたが、宗太郎の話を聞くと難かしい顔になった。

「たしかに、あの混雑では、連れにはぐれるなんぞ、ざらでございます」

長助の一行の中でも、何人かが途中ではぐれ、みんなで探したり、後戻りしたり、道ばたで待ったりと、そんな繰り返しだったと長助はいった。

「ですが、厄介になる御師の家は、みんな承知していましたし、帰りは、はぐれたら藤沢のみょうが屋と申します宿で待つことにして居りましたので……」

最終的には、そこで人数が揃った。

「人にはぐれたあげく、道に迷うということはないのか」

東吾が訊き、長助が首をひねった。

「参道は、人が大勢上り下りしていますんで横道へ逸《そ》れることはねえ筈ですが……」

なにかの理由で故意に参道をはずれて山の中に入ってしまい、帰り道がわからなくなったということはあるかも知れないといった。

「尾籠《びろう》な話ですが、小用をもよおして、その、ちょいと山へ入ったつもりが、思ったよりも深くに行っちまっていたとか……」

それに、山は朝夕、霧が湧く。

「あっしどもが下山する時は天気が悪く、途中から小雨が降って来まして、そこら中、まっ白に靄《もや》がこもっちまって、そりゃあ見通しが悪うございました。道に迷うとすれば、ああいう時じゃねえかと思います」

長助の言葉に、宗太郎が眉をひそめた。

「すると、道に迷い、谷川へなぞ足をふみすべらせることもあるだろうな」

「そりゃあございましょう。なにせ、大山は険阻でございまして、山に馴れた御師のお方でも霧に巻かれて谷底へ落ちたという話を耳に致しましたから……」

長寿庵を出て、いくらも歩かない中に宗太郎が足を止めた。

それだけで、この友人の心中がわかり、東吾は捨てておけない気持になった。

「河内屋紋左衛門というのも、横浜に住んでいるのか」

「いや、江戸です、たしか本町通りに店がある筈で……」

「そこへ行ってみないか。なにか、新しい話が聞けるかも知れない」

「東吾さんも行って下さるんですか」

「三人寄れば文殊の智恵だろう」

「一人足りませんが、まあ、いいでしょう」

かすかながら笑いを取り戻す余裕が出て、宗太郎は歩きながら話し出した。

「徐敬徳とは、わたしが長崎へ行っていた時分からのつき合いなのですよ。あの頃、わたしは決して親の名を口に出しませんでしたし、徐大人も知らなかった筈です。それだけに彼の親切は身にしみて有難く思えたものです」

宗太郎を将軍の御典医、天野宗伯の長男と知って近づいて来たり、便宜をはかってくれる者は少くないだろうが、彼が一介の貧乏医学生なら洟《はな》もひっかけない。

そういう人情を知っている宗太郎だけに、見知らぬ土地での、異国人の情が嬉しかったに違いないと、東吾は思いやった。

「高価な医学書を何日も貸してくれて、わたしが写すのを許してくれたり、阿蘭陀《おらんだ》や英吉利の言葉を教えてもらったり、そういえば、よく飯を食わしてくれましたよ。腹が減ると人間はよい智恵が湧かない。頭がよくなりたければ、満腹するまで食うことだと。わたしはそれまで、学問をするには空腹のほうがよいと思っていたので、徐大人の言葉に驚きましたがね。今、考えると、わたしが遠慮なく食べられるようにとの思いやりだったのですね」

日本橋川に沿って歩きながら話す宗太郎の声にしみじみと溢れてくるものを感じて、東吾は夏空の下を黙々と歩いた。

長崎時代の恩誼以来、長いつき合いを続けて来た相手が、こともあろうに大山で遭難したかも知れないと知って、宗太郎の受けた衝撃の深さがよくわかる。

河内屋紋左衛門とはぐれてから、すでに六日以上が過ぎているのであった。東吾にしても下手な慰めは口に出来ない。

本町通りの河内屋は間口はたいして広くないが、重厚な感じのする古い店であった。

その店の雰囲気と似つかわしくないのが、軒にかけてある看板で、白い塗料で木地を厚く塗りかくし、その上に（和漢洋薬種いろいろ）と書いてある。

帳場には肩幅のある、大柄な男がすわっていた。紺の前垂れをかけていなければ到底、薬種問屋の奉公人とは思えないほど、武骨な面がまえでもある。

けれども、奥から出て来た河内屋紋左衛門は腰の低い、穏やかな商家の主人風で、長身を深く折って、東吾と宗太郎に挨拶をした。

宗太郎が徐敬徳と昵懇の旨を話すと、

「左様でございましたか。横浜からそのような使が参られたのでは、さぞ、お驚きなさいましたことでございましょう。手前どもも、今はもう、どうしてよいやら途方に暮れて居ります」

大きな嘆息をついた。

「手前は昨夜、江戸へ戻って参りました」

横浜の徐の家を訪ね、徐敬徳が帰っていないのを確かめてから、弟の徐健記と共に大山へ戻り、ひたすら探し廻ったが、全く手がかりがなく、藤沢はもとより街道筋の旅籠屋も一軒残らず訊ねたが、どこにも徐敬徳らしい人物は泊っていなかった。

「健記さんは、もう少し大山の麓を歩いて、百姓や木こりなどに訊ねてみると出かけて行きましたが、手前はそういつまでも店を留守にも出来ませんので、ひとまず江戸へ帰りましたところで……」

疲れ果てた顔で弁解した。

「いったい、大山のどこではぐれたのだ。往きか帰りか……」

東吾が訊ね、紋左衛門は額ぎわに汗を浮べながら熱心に話し出した。

「帰りでございました。二十八日の夕方、御師の家へたどりつきまして、翌日、石尊大権現へおまいりを致しまして、その日は大山能を見物致しました。三十日の朝、御山を発ちまして、なにしろ天気が悪く、足許はぬかるんで大層、難儀を致しました。殊に手前は登りで足を少々、痛めまして、気がついた時はすっかり遅れて居りまして……」

「大山まいりの一行は何人だったのだ」

「手前と徐大人と、横浜の荷作業を致します浜本組の者が三人で……。ですが、手前が麓の伊勢原の宿にたどりつきますと、浜本組の三人はもう到着して居りました。ただ、徐大人だけがまだ来ていないといわれ、てっきり手前よりも先へ行ったとばかり思って居りましたので、少々、不思議な気は致しましたが、途中、霧の中で追い越していたのかと、そのまま、宿で待って居りました」

けれども、夜になっても徐敬徳は宿につかず、心配して道筋にみに行ったものの、雨は激しくなる一方で、結局、どこかで休んでいるのだろうと判断したという。

「大山の参道には、ところどころに休み茶屋もございます。疲れて前へ進めなくなったり、天気次第ではその茶屋に泊ることも出来なくはございません」

結局、翌日、浜本組の三人には先に帰ってもらって、紋左衛門だけが宿で待ったが、やはり徐敬徳は姿をみせない。

「これは、てっきり宿へ寄らず先へ向ったのかと考えまして……」

慌てて宿を発ち、その日は無理をして藤沢まで行って、往きと同じ宿へ入って様子を訊いたが、そこでも徐敬徳の消息はわからなかった。

「やっとの思いで横浜へたどりつきますと、徐大人は帰って居らず、手前はもう目の前がまっ暗になりました」

それからは、徐健記と大山へ戻り、街道筋を廻り、もはや万策尽きたという感じらしい。

「一応、大山のほうにも、横浜にもお届けは出しましたが……」

再び大きな嘆息を洩らした。

河内屋からの帰りに、東吾は宗太郎と相談の上、畝源三郎を訪ねて事情を話した。

「横浜のほうでは、日本語のわからぬ異人がしばしば迷子になって大さわぎになるそうですが、徐敬徳という仁は日本語も話せるのですから、単なる迷子とは思えませんね」

何かの事件に巻き込まれたのでなければよいがといいながら、早速、源三郎は横浜のほうの御係に問い合せてみるといった。

その源三郎から、

「徐敬徳と思われる者が、大崎村の目黒川でみつかったそうです」

と知らせがあったのは、翌日の午下り、ちょうど東吾が軍艦操練所から帰宅した時であった。

二

生きているのか、死んでみつかったのか、くわしい事情が全くわからぬままに、東吾と宗太郎は、畝源三郎に同行して品川へ向った。

源三郎から知らせを受けて、深川からは長助もかけつけて来て、

「同じ時に大山まいりに行っているわけですから、ひょっとすると長助は徐敬徳をみているかも知れません」

なにか手がかりがつかめるかも知れないと一緒に行くことになった。

品川の北本宿のところに横浜掛（開港掛）の藤井直次郎という同心が品川宿の岡っ引で権七というのを伴って、畝源三郎達を待っていた。

北本宿と南本宿との分れ目は目黒川で、東海道の下を流れて海へ大きく蛇行している。

「この川の上のほうでござる」

挨拶をすませてから藤井がいい、一行は御殿山と東海禅寺の間の道を抜けて大崎村へ出た。

「どうも、このところ、このあたりに縁があるんだな」

と東吾が呟いたように、つい、先月も同じ軍艦操練所の仲間の偽装心中事件で東海禅寺を訪ねている。

「横浜が開港してから、とかく事件が絶えません。少し前までは、のどかな街道筋だったのですが……」

江戸と横浜の往来が激しくなって大森から六郷にかけて茶店が増え、夜更けまで客がさわいでいたりすると、藤井は苦々しげにいった。

「異人と銭のやりとりで揉め事を起すくらいならまだよいのですが、言葉が通じないので、なにかというと喧嘩になったり、殊に大きな声ではいえませんが、異人嫌いの水戸浪人だのが徘徊すると、気の休まる暇がない有様ですよ」

その上、大山まいりに出かけて行方知れずになった唐人の面倒までは見切れないといわんばかりの口調である。

東海禅寺の西北側に目黒川にかかる橋があった。

そこを渡って川沿いの道を行く。

あたりは一面の田であった。

稲はよく伸びていて、ぼつぼつ穂をつけはじめている。

川に小舟がみえた。そこに、大崎村の名主が若い衆と共に立っていて、更に小舟の近くには初老の男が泣きながら草の上にすわり込んでいる。

その男が近づいて来る宗太郎をみて腰を浮かした。

「麻生先生……兄が……兄がこんな姿になりました」

小舟の中には徐敬徳が横たわっていた。すばやく宗太郎が舟にとび移る。

「手前どもの小作人が今朝、この舟をみつけた時は、まだ生きて居られたそうでございます」

水、水というのに、小作人が慌てて井戸へ水を汲みに行き、持って来たのをほんの一口飲んで、そのまま、息が絶えたようだと名主は気の毒そうにいった。

「どのあたりから流されて来なすったものかは存じませんが……とんだことで……」

舟から岸へ上げたいとは思ったが、

「お役人様のお許しが出るまでは、手を触れてはならないといわれまして……」

ちらと権七をみたのは、そういったのが彼だったせいのようである。

宗太郎は丁寧に徐敬徳の体を調べていたが、やがて、

「手を貸して下さい。舟から上げたいと思いますので……」

と声をかけ、自分も手伝って遺体を岸へ運んだ。

「みたところ、外傷はありません。毒物の反応もこれといって見当らず、どうやら飢餓状態で衰弱死したように思えます」

流石に声が慄えた。

およそ、どのような死でも苦痛がないとはいえないが、飢えて死ぬほど悲惨なことはない。

徐敬徳の遺体は品川の番所へ運ばれ、もう一度、宗太郎が検屍した。

手足にすり傷のようなものはあるが、致命傷となるほど外から暴力を加えられた痕は

ないし、危害を与えられた様子もみえない。

「下山の途中、道に迷い、裏街道へ出たのではございませんか」

といったのは長助で、

「あっしは昔、大山まいりに出かけました際、青山から道玄坂を三宿へ出て、三軒茶屋から大山道へ入ったことがございます」

登戸の渡しを行くのと、相模街道の丸子《まりこ》の渡しへ出るのとがあるが、どちらにしても東海道を行くよりも距離は近い。

「その代り、たいした宿場もございませんし、山道もございます。ですが、もし、こっちの道へ出ちまいますと、江戸へ入って目黒川にぶつからねえこともございませんので……」

徐敬徳が迷い迷って目黒川へたどりつき、たまたまあった小舟に乗って流れ下って来たのではないかと長助は考えている。

「その大山道を来た場合、人家は少いのか」

宗太郎が訊き、長助が首をふった。

「決して多いとは申せませんが、道は村と村につながって居りまして、百姓家なんぞにはけっこう出くわします」

「旅人が飯をくわしてくれといったら、どうだろうか」

「そりゃもう、表街道より親切でございまして、百姓家でも、軒先を貸してもらって弁当をつかっていると、湯茶のもてなしをしてくれます」

なんといっても、大山まいりの通る道筋なので、住む人の気風も慈悲深いと長助はいった。

「たしかに、道に迷って、裏街道へ出たとすると、探しに出た人々と出会わなかった理由が納得出来ますが、徐大人は無一文だったとは思えませんし、行きずりの家で食べるものをわけてもらうのが容易だとすると、飢えて死ぬというのが不自然に思えるのです」

徐敬徳の懐中には紙入れや煙草入れが残っていた。紙入れには自分の姓名と所書きを記した紙が入っていて、それで身許が早々と判明した。だが、紙入れには金は残っていなかった。

「途中で賊にでも奪われたんじゃございませんか」

弟の徐健記がいった。

「兄は若い頃、船が難破して漂流し、十日も飲まず食わずで生きのびたことがあると、よく自慢をして居りました。それ故、飢えを忘れて歩き続け、気がついた時にはもはや体力が尽きていて……」

いずれにしても、遺体をみる限り、殺害された様子はない。

「恥をしのんで物乞いでもして命ながらえてくれればよかったのでございます。飢えて死ぬとは、どんなに苦しかったか」

徐健記が号泣し、藤井直次郎は彼をなだめて、遺体をどうするか問うた。この季節、いつまでも番屋においてはおけない。

「私どもの故郷では、死者は舟で運ぶ習慣がございます。すぐに手配をして参りますので、何分、よろしくお願い申します」

今から横浜へ戻って、知り合いの舟を品川へ廻してもらうといい、慌しく出て行った。

間もなく、横浜から徐敬徳の女房が到着した。

長崎の丸山にいた娼妓だが、心がけのよいのに徐敬徳が惚れて、身請けをして女房にしたもので、宗太郎とは顔なじみであった。

「うちの人が道に迷って、飢え死にしたというのは本当でございましょうか」

宗太郎がつき添って、遺体に対面させるとまっ先に訊いた。

ここへ来る途中、徐健記に会い、彼から聞いたという。

「盗賊にお金を盗られた故、食べるものを買うことが出来なかったとか……」

いきなり、遺体の着物の衿を探った。

「ございます。ここにお金が……」

左右の衿の先に小判が一枚ずつ、しっかり縫い込んであるのを、糸をひき抜いて取り出した。

「うちの人は用心深くて、旅に出る時は必ずこのようにお金をかくして、紙入れとは別に持って行きました。ものを買うお金がなくて飢え死にするわけがございません」

実際、彼の用心の小判は衿の中にあった。宗太郎がいった。

「東吾さん、どうもおかしいと思います。わたしも、合点が行かないのです」

人家のない山中ならともかく、助けを求める人家はいくらでもあった。

「徐大人の性格からしても、体力を使い果して死に至るまで、なにもわからずに歩き続けるというのは変です。徐大人は胆力も気力も秀れている」

まして二両の金が着衣から出て来た以上、徐健記の判断は間違っていると思えた。

長助が申し出た。

「今から裏街道を逆に大山まで行って参ります。あまり人通りのねえ大山道でございます。見馴れねえ一人旅の者に村の連中が不審の目をむけていねえ筈はねえ。もし、徐さんが裏街道を来なすったのなら、必ず、誰かの目に入ったに違えねえ。そのあたりを聞いて廻って来ます」

源三郎がうなずいた。

「御苦労だが、頼む」

東吾がいった。

「俺が長助と行こう。一人より二人が安心だ。源さんと宗太郎は、遺体につき添っていてくれ」

海から舟で運ぶといった所が、どうも気になると東吾はいった。

「弟の奴、ちょっと、うさん臭くねえか」

男四人が打ち合せをし、直ちに東吾と長助は目黒川を上って行った。

すでに夕暮である。

江戸から河内屋紋左衛門がかけつけて来たのは夜になってからであった。

「情ないことになりました。こんなことなら、大山まいりなぞ、お誘い申すのではありませんでした」

せめて今夜は通夜をしたいという。

その中に、藤井直次郎が近所の寺へ話をつけて来た。

番屋で通夜でもなかろうと、遺体は寺へ運び、とりあえず、坊さんがお経をあげてくれた。

一夜があけると、河内屋紋左衛門は横浜へ手伝いに行くといい、ちょうど横浜へ帰る用事があるという藤井直次郎と共に品川を去った。

遺体につき添っている徐敬徳の妻女に、いろいろと訊いていた宗太郎が、やがて別室に遠慮していた畝源三郎の所へ来た。

「東吾さんの口真似をするわけではありませんが、徐大人が歿って、一番、得をするのは今のところ、弟ですよ」

徐敬徳には男の子が二人いたが、長男は三年前に病死した。

「もう一人の子、つまり次男は福州の親類へ養子に入っているのですが、徐大人はその子を養家から取り戻そうとしていたそうで、ただ、今のところ、養家の親が承知しないので跡取りはいません」

「成程、徐健記とかいった弟が、店を自由にする可能性はあるわけですな」

「ただ、それだけで、弟が兄を殺しますかね」

「兄弟仲はどうだったんです」

「わたしが知る限り、悪くはなかったと思うのですが、徐大人はあまり弟を信用していなかったと、御妻女はいわれるのです」

「弟が店の金を使い込んでいるとか……」

「それはないでしょう。徐大人は算盤を誰にもまかせないといっていましたから……」

逆にそういうところが、今度の事件の根にあるかも知れないと宗太郎はいった。

「もし、徐大人が殺されたとすればですがね」

外で権七がなにかいっているのが聞え、続いて、

「なんでもいいから、畝の旦那か、若先生か、それでなけりゃ宗太郎先生を呼んで下さい。かわせみからお吉が参りましたとおっしゃれば、おわかりになりますから……」

威勢のいい声が寺の境内に響き渡った。

「お吉ですよ」

源三郎が首をすくめ、すぐに障子を開けて廻廊に出た。

境内に駕籠がとまっていて、その前でお吉が権七と向い合っている。

源三郎が呼び、お吉は走って廻廊の下へ来た。手にしっかり木太刀《きだち》を持っている。

「お嬢さんが、これをお届けするようにって……長助親分と大山まいりに行った人が、石尊大権現で授って来た木太刀なんですけども……」

大山まいりに出かける人は、一本の木太刀を奉納するために持って行く。大方は奉納大山石尊大権現と書いた木太刀で、神前に納めるところから納太刀と呼ばれている。

参詣人は納太刀をおいて、その代りに他人が奉納したのを、一本、神前から頂いて帰り、それを家の守りにした。

お吉が持って来たのは、つまり、その持ち帰って来たほうで長さは一尺八寸ほど、刀身には墨痕鮮やかに、奉納大山石尊大権現と大書してある。

「鳶頭の佐吉さん……その納太刀を持って帰って来た人なんですけど、石尊大権現様の御堂で自分の納太刀を奉納して、その近くの納太刀の中から、どれをもらって帰ろうかと考えていたら、いきなり一人の男の人が、これをって、その納太刀を渡したんだそうですよ。それで、なんとなく受け取って持って帰って来たんだそうですけど、昨日、深川八幡の社家の人がみせてくれっていうんでみせたところ、なにかおかしなことが書いてある。自分にはわからないから、誰かにみてもらえっていわれて長助親分のところへ持ち込んだんですって。それで、長助親分のお内儀さんが、うちへ持って来て、どうしましょうって……どうしましょうったって、若先生も畝の旦那も品川へ行ったきりだし……うちの番頭さんとお嬢さんがひょっとして、今度の事件にかかわりでもあったらっておっしゃったもんですから、あたしがお届けに来たんですよ」

お吉が一気呵成にまくし立て、源三郎が納太刀を眺めた。

確かに大きく奉納大山石尊大権現と書いた下のほうに小さな文字が並んでいる。

「墨がこすれて、読みにくいですが……」

矢立と懐紙を出して、その文字を写し出した源三郎の手許をみていた宗太郎が、俄かに顔色を変えた。

「これは……もしかすると……」

　羽満船阿不用
　恐惶謹言　乞助
　吾命　朝露　徐書
三行の文字の終りを宗太郎が指した。

「徐書というのは、徐大人が書いたという意味かも知れません」

源三郎の表情もひきしまった。

「吾命朝露は、自分の命は朝露のように消えそうだということですか」

その前の、乞助は助けを求めている意味に取れる。

「恐惶謹言はおそらく全体の意味をぼかすためでしょう。もし、敵の手に渡った時、ちょっとみただけではわかりにくくするための」

宗太郎の言葉に源三郎が慌しくいった。

「もし、この納太刀を渡したのが徐大人なら、何者かに追いつめられて助けを求めているということですか」

それには答えず、宗太郎は睨みつけるように納太刀の文字をみつめている。

声に出していった。

「羽満船阿不用とはなんですか」

「羽満船がいらなくなったということでしょうか」

「それだと、阿という文字が変です」

腕を組んで考え込んだ宗太郎をみて、源三郎はお吉に上へあがって休むようにいった。

いい具合にこの寺の僧が午餉の支度が出来たと呼びに来た。

「わたしは要りません。お吉さんに食べさせて下さい」

もしも、この納太刀を渡したのが徐敬徳なら、この三行は容易ならぬ伝言だと宗太郎はいった。

「この言葉の謎が解ければ、徐大人が殺された理由が明らかになるかも知れません」

午後になって、深川の鳶頭、佐吉がやって来た。

「長寿庵のおかみさんから聞きまして、あっしが受け取った納太刀が、なにかお役に立つかも知れねえってんで、かわせみの番頭さんにここを教えてもらってやって来ました」

血の気の多そうな顔でいった。

「よく来てくれた。是非、頭《かしら》に訊ねたいことがあったんだ」

まず、この納太刀を渡した男の様子、年恰好をおぼえているかと宗太郎が訊き、佐吉は張り切って答えた。

「混雑の中でござんしたが、相手の顔はおぼえて居ります」

年は六十すぎ、髪は半分白く、顔は面長で鼻が大きいと、佐吉が話すたびに、宗太郎がうなずいた。

「間違いない。徐大人だ」

「ですが、着ているものなんぞは、あっしらと同じような……」

「そうなんだ。徐大人は家では唐風の着物だが、外出する時は日本の商家の旦那衆と同じ恰好をしていた」

納太刀を渡した時の様子について話してくれ、とうながされて、佐吉はその時を思い浮べるように視線を上げた。

「いきなり、あっしに納太刀を押しつけたんです。思わず受け取ると、これを頼む、と……」

「それだけか……」

「そうくんがどうとか、いったような気がしますが、なにしろ、まわりの連中が六根罪障、ざんげざんげ、おしめにはったいこんがらどうじとどなっていやがるんで、よく聞えませんで……」

宗太郎が膝を進めた。

「頭の一行は、長助と一緒だったんだな」

「へえ、左様で……」

「もしや、大山で……たとえば御師の家に泊っていた時なぞに、わたしの話をしなかったか」

「宗太郎先生の噂でございますか」

佐吉が首をひねった。が、すぐに合点した。

「そういえば、一行の中で門前町の下駄屋の旦那が冷えたのか腹が痛むといい出しまして、長助親分が本所の宗太郎先生から頂いて来た薬だからと飲ませてやったことがございましたが……」

「それは、いつ、どこで……」

「御山へ上って、最初の晩、御師の家の広間で晩餉の膳についた時で……」

「そのあたりにいたのは、深川の一行だけか」

「いえ、そんなことはねえんで、だだっ広い所に押しくら饅頭って恰好で大勢が飯をくっていたんで……」

長助の声はその部屋にいた大方の耳に届いていた筈だと佐吉はいった。

「では、その広間にこの納太刀を渡した男はいなかったか」

「そいつは気がつきませんでした。なにしろ、やっと御山へついたってんで、のぼせていましたし、広間は薄暗かったんで……」

「宗太郎先生……」

漸く、お吉が話に割り込んだ。

「そうしますと、頭にこの納太刀を渡した人は、深川の連中がみんな宗太郎先生の知り合いだってことに気がついて……」

「おそらく、その通りだろう。徐大人は長助の一行と同じ御師の家に泊ったんだ。広間で偶然、わたしの名を耳にした。だから、その中の誰かに納太刀を渡して、わたしに届けてもらおうと考えた……」

徐大人は、長崎の頃から自分のことを宗君と呼んでいたと宗太郎は、声をつまらせながら話した。

「宗太郎の宗を取って、宗君です」

「そうくんっていいました。たしかに、そうくんにこれをって……間違えありませんや」

佐吉が叫んだ時、僧がやって来た。

「お役人様に申し上げます。只今、御遺体をお迎えの方々がお着きなさいました」

本堂へ出てみると、徐健記と河内屋紋左衛門が徐の店からついて来た番頭や手代を指図しながら、唐風の棺なのか、かなり大きな箱に赤い布をかけたのを運んで来る。

それは本堂の裏側の部屋に安置されていた徐敬徳の遺体の脇におかれた。

「助かりましたよ、義姉さん。ハーマンさんが艀《はしけ》を貸してくれました。むこうの艀は大きくて漕ぎ手の数も多いから船足が早い。夕方までには兄さんの遺体を横浜へ運べますから安心して下さい」

まめまめしく徐健記が兄嫁にいっているのを、じっと聞いていた宗太郎が顔見知りの徐家の番頭の理兵衛に訊いた。

「ハーマンというのは英吉利船か」

初老の番頭は思いがけない主人の死に、かなり動転している様子だったが、それでも宗太郎の問いに丁寧に返事をした。

「左様でございます。先月二十五日に横浜へ入りましたので……」

「徐さんの店とは取引があるのか」

「今回がはじめてでございます。健記様のお知り合いの紹介で……」

「取引はすんだのか」

「正式には、まだでございます。歿られた旦那様がためらってお出でで……今回は見送りにしようかともお洩らしでございましたが……」

結論が出ない中に、徐大人は不慮の死を遂げた。

「それにしては、艀を貸してくれるというのは親切じゃないか」

「健記様がおたのみになったのでございます。御棺もあちらが適当なのがあるからと艀に乗せて下さいまして……」

親切にすることで、取引を有利にまとめたいと先方は考えているのではないかと、老練の番頭は自分の推量を宗太郎に告げた。

「艀はハーマンの船から下したのだな」

「はい」

「棺も積んでか……」

宗太郎が小声で番頭と話している間に、僧が経を読み、何人かが夜具に横たえられていた徐敬徳の遺体をそっと棺へ移しかえた。

棺の中から、芳香があたりに漂った。

宗太郎がのぞいてみると、棺には布袋のようなのが一面に敷きつめられている。

「香袋を入れましたので……」

訊かれもしないのに、健記がいった。

「この陽気でございます。兄の遺体を清浄に保ちたいと存じまして……」

棺の蓋が閉められ、赤い布がかけられた。

それを男達がかついで本堂から庭へ出る。

葬列について行くつもりで源三郎が立ち上った時、宗太郎が小さく叫びを上げるのが耳に入った。

「わかりました。畝どの、あの一行を止めて下さい」

宗太郎の言葉に事情はわからぬながら、源三郎は走って行列に追いついた。

「待ちなさい」

河内屋が源三郎の前に立ちふさがった。

「なんの御用でございましょう。とにかく、手前どもは一刻も早く、御遺体を横浜へ運びたいと存じますので……」

宗太郎が凜とした声でいった。

「棺を下へおろしなさい」

「御無体な」

徐健記が叫んだ。

「麻生先生、いったい、貴方様は……」

「徐大人のわたしへの伝言が、今、わかったのだ。納太刀に徐大人は書いた。ハーマンの船には阿芙蓉を積んでいる。阿芙蓉は阿片のことです」

源三郎の眉が上った。

「棺を下させて、香袋を改めて下さい」

徐健記と河内屋紋左衛門の顔色が変っていた。

「徐家の奉公人は棺を下しなさい。徐大人の遺言、わたしは、たしかに受け取った」

宗太郎が今まで手から離さなかった納太刀を高々と上げ、番頭や手代は静かに棺を地へ下しかけた。

とたんに、ばらばらと逃げ出したのは徐健記と河内屋紋左衛門で、

「神妙にしろ」

追いすがった畝源三郎がすばやく十手でなぐりつけた。

三

宗太郎が看破した通り、棺の中の香袋からは大量の阿片が出て来た。

河内屋紋左衛門は江戸町奉行所に、徐健記は藤井直次郎によって横浜へ護送されて、各々、きびしい詮議を受けた。

また、英吉利船の船長ハーマン・クロードは外国奉行の取調べを受けた後、交易を停止され、横浜港から追放された。

「どうも、俺と長助は骨折り損、いいところは、みんな、本所の名医と源さんに持って行かれちまったな」

一件落着後の「かわせみ」の居間に、麻生宗太郎と畝源三郎、それに長助までが勢揃いして、暑気払いの盃を取り上げたのは十五夜の月見の膳を前にしてで、江戸は今日も残暑がきびしかった。

「そんなことはありませんよ。東吾さんと長助が裏街道を歩き廻って、徐大人の足どりを確かめてくれたからこそ、あいつらの徐大人殺しが裏づけられたんですから……」

百姓家や茶店を丹念に聞いて廻った結果、大山から多摩川に出るところまでは、徐敬徳と思われる男が、江戸への道を訊ねながら歩いて行ったことが明らかになった。

その足取りが登戸の渡しを越えて間もなくふっつりと途絶えた。

それが七月三日のこと。

「俺も長助も必死だったよ。どう聞いても、誰もそんな旅人はみていねえという。そのかわり、馬に大きな葛籠《つづら》を積んだ男が江戸へ向って大山道を歩いているんだな。こいつは目立ったらしくて、街道のどこで訊いても、大方がおぼえていた。おまけに馬を曳いて行く男の人相が登戸から三軒茶屋までと、三軒茶屋から目黒村の近くまでと、まるっきり違っていたんだ」

つまり、最初に馬を曳いて行ったのは河内屋紋左衛門、途中からは徐健記であった。

更にいえば、徐敬徳が大崎村の近くの目黒川に浮ぶ小舟の中で発見された前夜、目黒村の川辺につないであった小舟が盗まれていて、持ち主が大崎村の小舟を確認したところ、自分の持ち舟だと判った。

「徐大人は、弟が河内屋と組んで、阿片の密輸をしようとしているのを、うすうす気づいたんですね」

盃の酒をみつめるようにして宗太郎が話した。

「で、弟には決してそうした危険な商売をしてはならないと叱ったが、欲に目がくらんでいる連中には馬の耳に念仏ですよ。おまけに大山まいりに誘い出されてみると、その中に河内屋がいる。その様子から、徐大人はすぐ危険を悟ったのでしょう。あの人は沈着で胆力がある。下手に動かず、知らぬそぶりで山へ上って機会を待った。それでも万一を考えて奉納の木太刀にわたしへの伝言を書き、長助の仲間に渡したんです」

羽満船はハーマンの船、阿不用は阿芙蓉を意味していた。

「徐大人は、宗君に渡してくれといったが、佐吉にはそれがわからなかった」

もう少しのところで、徐大人の伝言は宗太郎に届かなくなるところだったのだが、

「やはり、徐大人の一念が通じたんですかね」

深川八幡の社家の者が文字に不審を持ち、廻り廻って「かわせみ」へ納太刀が届いた。

「ありゃあ、うちの内儀さんの勘がよかったからさ。早速、お吉に届けさせたから、間に合ったんだぜ」

東吾が得意気にいい、るいが慌てて手をふった。

「そんなことより、徐さんは大山から逃げ出したんですか」

東吾がうなずいた。

「長助達も遭った下山の時の霧にまぎれて、河内屋から逃げ出し、裏山道をたどったんだな」

横浜へ戻るよりも、まず江戸へ行って麻生宗太郎に助けを求めようとした徐敬徳はなんとか多摩川までたどりついたが、そこには彼の足取りに気がついた徐健記と河内屋が待ちかまえていた。

「あいつらは人間じゃありません。西洋でいうところの悪魔ですよ」

怒りをこめて、宗太郎がいった。

「仮にも血のつながった兄を、葛籠へ押し込めて何日も飯も与えず、少量の水だけで目

黒村まで運んだのですから……」

それというのも、ぎりぎりまで生かしておかないと道に迷ってという設定が使えないし、遺体が傷みすぎては、横浜へ運んでという段取りに狂いが出る。

「要するに、奴らはハーマンの船に積んでいる阿片を、お上の目をごま化して上陸させるために、徐大人を殺したようなものだからな」

東吾が憮然としていった。

横浜の港では荷上げされる積荷は厳重に取り調べられる。

「阿片は御禁制だから、みつかったら没収だろう。その代り、内緒で陸上げ出来れば、大変な金になる」

ハーマンの船から艀を借りるという口実で、棺の中に香袋と一緒に阿片をかくして品川の寺へやって来た。

「あのまま、横浜へ運べば、遺体としてそ知らぬ顔で徐の家へ持って行ける。それから棺の中の阿片を取り出す気だったんだ」

だが、その手前で、宗太郎が納太刀の謎を解いた。

「宗太郎先生にうかがいますが……」

今度は自分も一役買ったと思うから、いつもよりお吉は遠慮がなくて、

「阿片って申しますのは、なんで、そんなにたいしたお金になるのでございますか」

みたところ灰のようで、それほど値打があるとは思えなかったといった。

「お吉さんがみたのは、阿片の粉末です。あれを煙草にまぜて飲むと、魂が天空に遊んだようになり、いやなことはみんな忘れてしまう。それどころか気分はいよいよ高揚して大名にでもなったような……」

「それじゃ、お酒に酔ったようなものじゃございませんか」

「多分、もっと凄いでしょうね。人を殺そうと、ものを盗もうと、まるっきり悪いという感じがなくなってしまう。自分が何をしているのかすら、わからないのです」

るいが眉をひそめた。

「怖しいものなんですね」

「人は働く気がなくなる。生きているのも面倒くさくなる。そのあげく、薬が切れると頭が割れるように痛み、苦しみ、のたうちまわって、結局、死に至ります」

「清国の阿片戦争の話を聞いたよ」

東吾がぽつんといった。

「下手をすると、国が滅びるんだ」

「本来は良薬にもなるものだったのですがね」

手術の時の痛み止めに使われたと宗太郎は男達へいった。

「麻酔薬ですね。その他、激しい胃の痛みをおさえたり、胆石などの痛みにも効力があります。ただ、常用すれば脳をおかされますし、使い方を間違えれば、大変に危険です」

「そんなものを、どこから持って来たんですかね」

不安そうに、お吉が訊ねた。

「けしという花の果実から取れるのですよ。徐大人はその昔、わたしに印度の山の中に咲いていているといっていましたが……」

黙々と盃をあけていた源三郎が呟いた。

「難かしい時代が来るようですな。我々はともかく、子供達が成人する頃、この国はどうなっているのか」

「案ずるより生むが易しだよ、源さん。子供らはみんな、しっかり育っているんだ。智恵を働かし、知識を生かして、いい世の中を作ってくれる。せめて、そう信じていねえと、子供なんぞ育てられねえや」

「かわせみ」の庭が明るくなった。

満月が大川の上にのぼっている。

るいに抱かれて縁側へ出た千春が廻らない舌で、お月さま、いくつ、と歌っている。

男達はしんとして、その声を聞いていた。

お吉が半値で買った朝顔の鉢は、花がみんな咲き切ってしまい、軒下に片付けられている。

東吾が思い出したように徳利を取り、男同士の酒盛りがまた始まった。

初出　「オール讀物」平成9年12月号〜10年7月号
単行本　平成11年3月　文藝春秋刊

文春文庫

宝船《たからぶね》まつり　御宿《おんやど》かわせみ25

定価はカバーに表示してあります

2002年4月10日　第1刷
2023年6月30日　第13刷

著　者　平《ひら》岩《いわ》弓《ゆみ》枝《え》
発行者　大沼貴之
発行所　株式会社 文藝春秋

東京都千代田区紀尾井町3-23　〒102-8008
TEL 03・3265・1211(代)
文藝春秋ホームページ　http://www.bunshun.co.jp

落丁、乱丁本は、お手数ですが小社製作部宛お送り下さい。送料小社負担でお取替致します。

印刷製本・凸版印刷
Printed in Japan
ISBN978-4-16-716876-6

（　）内は解説者。品切の節はご容赦下さい。

平岩弓枝
鏨師《たがねし》
無銘の古刀に名匠の偽銘を切る鏨師と、それを見破る刀剣鑑定家。火花を散らす厳しい世界をしっとりと描いた直木賞受賞作「鏨師」のほか、芸の世界に材を得た初期短篇集。（伊東昌輝）
ひ-1-109

平岩弓枝
秋色（上下）
有名建築家と京都の名家出身の妻、この華麗なる夫婦の実態は……。シドニー、麻布、銀座、奈良、京都、伊豆山と舞台を移して、華やかに、時におそろしく展開される人間模様。

ひ-1-126

平岩弓枝
花影の花　大石内蔵助の妻
大石内蔵助の妻の視点から描いた平岩弓枝版忠臣蔵。華々しく散った夫の陰で、期待に押しつぶされる息子とひたむきに生きた妻。家族小説の名手による感涙作。吉川英治文学賞受賞作。

ひ-1-129

平岩弓枝
御宿かわせみ
「初春の客」「花冷え」「卯の花匂う」「秋の蛍」「倉の中」「師走の客」「江戸は雪」「玉屋の紅」の全八篇を収録。江戸大川端の小さな旅籠「かわせみ」を舞台とした人情捕物帳シリーズ第一弾。

ひ-1-201

平岩弓枝
江戸の子守唄　御宿かわせみ2
表題作ほか、「お役者松」「迷子石」「幼なじみ」「宵節句」「ほととぎす啼く」「七夕の客」「王子の滝」の全八篇を収録。四季の風物を背景に、下町情緒ゆたかに繰りひろげられる人気捕物帳。

ひ-1-202

平岩弓枝
水郷から来た女　御宿かわせみ3
表題作ほか、「秋の七福神」「江戸の初春」「湯の宿」「桐の花散る」「風鈴が切れた」「女がひとり」「夏の夜ばなし」「女主人殺人事件」の全九篇。旅籠の女主人るいと恋人で剣の達人・東吾の活躍。

ひ-1-203

平岩弓枝
山茶花《さざんか》は見た　御宿かわせみ4
表題作ほか、「女難剣難」「江戸の怪猫」「鴉を飼う女」「鬼女」「ぼてふり安」「人は見かけに」「夕涼み殺人事件」の全八篇。女主人るい、恋人の東吾とその親友・畝源三郎が江戸の悪にいどむ。

ひ-1-204

（　）内は解説者。品切の節はご容赦下さい。

平岩弓枝
幽霊殺し
御宿かわせみ5
表題作ほか、「恋ふたたび」「奥女中の死」「川のほとり」「源三郎の恋」「秋色佃島」「三つ橋渡った」の全七篇。江戸の風物と人情、そして、「かわせみ」の女主人るいと恋人の東吾の色模様も描く。
ひ-1-205

平岩弓枝
狐の嫁入り
御宿かわせみ6
表題作ほか、「師走の月」「迎春忍川」「梅一輪」「千鳥が啼いた」「子はかすがい」の全六篇を収録。美人で涙もろい女主人るい、恋人の東吾、幼なじみの同心・畝源三郎の名トリオの活躍。
ひ-1-206

平岩弓枝
酸漿《ほおずき》は殺しの口笛
御宿かわせみ7
表題作ほか、「春色大川端」「玉菊燈籠の女」「能役者、清大夫」「冬の月」「雪の朝」の全六篇を収録。おなじみの人物を縦横に活躍させて、江戸の風物と人情を豊かにうたいあげる。
ひ-1-207

平岩弓枝
白萩屋敷の月
御宿かわせみ8
表題作ほか、天野宗太郎が初登場する「美男の医者」「恋娘」「絵馬の文字」「水戸の梅」「持参嫁」「幽霊亭の女」「藤屋の火事」の全八篇。ご存じ〝かわせみ〟の面々が大活躍する人情捕物帳。
ひ-1-208

平岩弓枝
一両二分の女
御宿かわせみ9
表題作ほか、「むかし昔の」「黄菊白菊」「猫屋敷の怪」「藍染川」「美人の女中」「白藤検校の娘」「川越から来た女」の全八篇。江戸の四季を背景に、人間模様を情緒豊かに描く人気シリーズ。
ひ-1-209

平岩弓枝
閻魔まいり
御宿かわせみ10
表題作ほか、「蛍沢の怨霊」「金魚の怪」「露月町・白菊蕎麦」「源三郎祝言」「橋づくし」「星の降る夜」「蜘蛛の糸」の全八篇収録。小さな旅籠を舞台にした、江戸情緒あふれる人情捕物帳。
ひ-1-210

平岩弓枝
二十六夜待《にじゅうろくやまち》の殺人
御宿かわせみ11
表題作ほか、「神霊師・於とね」「女同士」「牡丹屋敷の人々」「源三郎子守歌」「犬の話」「虫の音」「錦秋中仙道」の全八篇。今日も〝かわせみ〟の人々の推理が冴えわたる好評シリーズ。
ひ-1-211

（　）内は解説者。品切の節はご容赦下さい。

平岩弓枝
夜鴉《よがらす》おきん
御宿かわせみ12

江戸に押込み強盗が続発、「かわせみ」へ届けられた三味線流しおきんの結び文が解決の糸口となる。他に名品と評判の「岸和田の姫」「息子」「源太郎誕生」など全八篇の大好評シリーズ。

ひ-1-212

平岩弓枝
鬼の面
御宿かわせみ13

節分の日の殺人、現場から鬼の面をつけた男が逃げて行った。表題作の他「麻布の秋」「忠三郎転生」「春の寺」など全七篇。大川端の御宿「かわせみ」の面々による人情捕物帳。（山本容朗）

ひ-1-213

平岩弓枝
神かくし
御宿かわせみ14

神田界隈で女の行方知れずが続出する。神かくしはとかく色恋のつじつまあわせに使われるというが……東吾の勘がまたも冴える。御宿「かわせみ」の面々がおくる人情捕物帳全八篇。

ひ-1-214

平岩弓枝
恋文心中
御宿かわせみ15

大名家の御後室が恋文を盗まれ脅される。八丁堀育ちの血が騒ぎ、東吾がまたひと肌脱ぐも……。表題作ほか、るいと東吾が晴れて夫婦となる「祝言」「雪女郎」「わかれ橋」など全八篇収録。

ひ-1-215

平岩弓枝
八丁堀の湯屋
御宿かわせみ16

八丁堀の湯屋には女湯にも刀掛がある、という八丁堀七不思議の一つが悲劇を招く。表題作ほか、「ひゆたらり」「びいどろ正月」「煙草屋小町」など全八篇。大好評の人情捕物帳シリーズ。

ひ-1-216

平岩弓枝
雨月
御宿かわせみ17

生き別れの兄を探す男が、「かわせみ」の軒先で雨宿りをしていた。兄弟は再会を果たすも、雨の十三夜に……。表題作ほか「尾花茶屋の娘」「春の鬼」「百千鳥の琴」など全八篇を収録。

ひ-1-217

平岩弓枝
秘曲
御宿かわせみ18

能楽師・鷺流宗家に伝わる一子相伝の秘曲を継承した美少女に魔の手が迫る。事件は解決をみるも、自分の隠し子らしき男児が現われ、東吾は動揺する。「かわせみ」ファン必読の一冊！

ひ-1-218